histoire de la Poste

de l'administration à l'entreprise

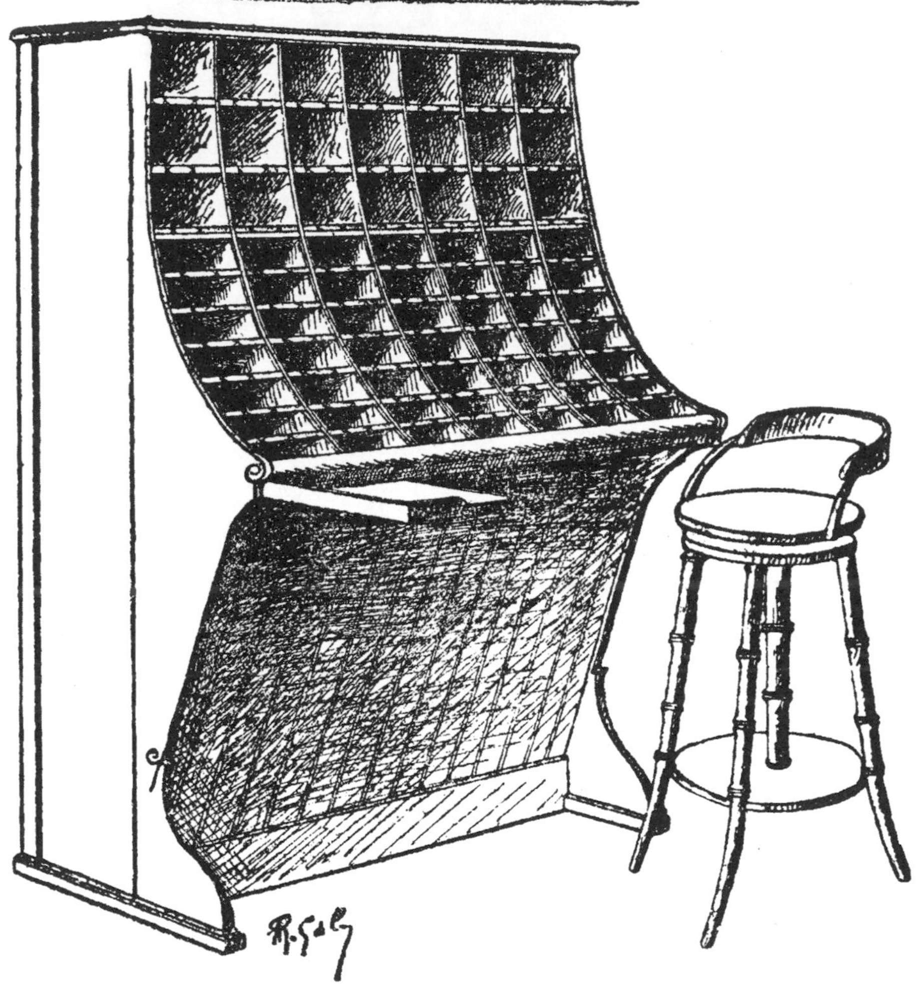

Dormeuse de poste Louis-Philippe.

Appareil dont le dispositif permettait, sous une surface réduite, un nombre accru d'acheminements, en exigeant du trieur un minimum de gesticulation.

(Musée de La Poste, Paris, droits réservés.)

histoire de la Poste

de l'administration à l'entreprise

SOUS
LA DIRECTION DE
MURIEL LE ROUX

Publié avec le concours du
Comité pour l'histoire de La Poste

ÉDITIONS RUE D'ULM

Que soient ici vivement remerciés : André Darrigrand, président d'honneur de La Poste, Claude Bourmaud, président de La Poste (1996-2000), et son successeur Martin Vial, pour leur concours ; Guy Ramau, directeur du cabinet du président de La Poste (1996-2000), et son successeur Jean-Paul Forceville, pour leur soutien matériel ; Daniel Roche, professeur au Collège de France, pour son soutien et sa contribution à ce programme de recherche ; Pascal Griset, professeur à l'université de Paris-IV, pour son aide dans l'organisation scientifique et le déroulement de la journée d'étude dont est issu ce livre ; Benoit Oger, chargé de recherche au Comité pour l'histoire de La Poste, Josiane Foynat, assistante à ce même Comité, et Magali Vautelin, assistante à l'Institut d'histoire moderne et contemporaine, pour leur précieuse et constante collaboration.

Illustration de couverture :
Bureau de poste à Noël.
Caricature de Marcel Collin, 1948.
(Musée de La Poste, Paris, droits réservés.)

45, rue d'Ulm – 75230 Paris cedex 05
www.presses.ens.fr

ISBN : 2-7288-0277-7

Sommaire

Introduction

Muriel Le Roux[1]

S'il est un paradoxe, c'est bien celui de la Poste comme objet d'étude historique. L'histoire, contrairement aux autres disciplines des sciences de l'homme, pèche pour n'avoir que trop peu appliqué, jusqu'à une date récente, toutes les problématiques issues des *Annales* ou de la *Business History*... Nous sommes en droit de nous interroger, d'autant que Lucien Febvre félicitait Eugène Vaillé, en 1955 dans les *Annales*[2], « pour son œuvre monumentale[3] ». Pourtant Jean Tulard, dans la préface intitulée « Plaidoyer pour une autre histoire » de l'ouvrage de Guy Thuillier *Bureaucratie et bureaucrates en France au XIXe siècle*[4], rappelait qu'il était nécessaire d'entreprendre l'histoire de l'administration afin de « comprendre les vicissitudes de la politique économique de la France ». Est-ce parce que cette histoire est complexe, à la mesure de la difficulté que le chercheur éprouve pour cerner son objet lorsqu'il s'agit de la Poste, que cette constante existe, y compris dans les travaux les plus récents ?

Cette difficulté est largement illustrée par les débats parlementaires de la IIIe République au cours desquels les députés se renvoyaient, comme préalable à toute discussion, la définition de la nature des Postes : administration ou entreprise industrielle ? Que recouvre ce vocable ? Nous verrons tout au long de cet ouvrage où conservateur du patrimoine, juriste et historiens présentent sources et problématiques qu'il n'existait pas une poste, mais des postes, surtout lorsque l'on se réfère à l'Ancien Régime.

Aujourd'hui, nous avons affaire à un établissement public, une entreprise publique, un exploitant public chargé d'une mission de service public. Son caractère « public » est en effet une spécificité de la Poste... Ses relations

---

1. Chargée de recherche au CNRS, Institut d'histoire moderne et contemporaine.
2. *Les Annales ESC*, 1, 1955, p. 123.
3. E. Vaillé, *Histoire générale des postes françaises*, Paris, PUF, 1947-1955, 7 vol.
4. Genève, Droz, 1980.

avec le public ont évolué au fil du temps, allant du singulier au plus grand nombre, du monarque à l'usager puis au client. Ainsi, d'un service de transmission de l'information à la solde du pouvoir royal, universitaire, urbain, marchand, on est passé à une administration chargée de la transmission des informations écrites, puis du transport des objets, et enfin à la gestion de l'épargne et des fonds populaires. Par cette vocation de service public qui, progressivement au cours des XIXe et XXe siècles, a couvert l'ensemble du territoire national, la Poste est bien une administration. Elle a assuré l'égalité de traitement des usagers partout en France, le respect du secret privé, participé à l'aménagement du territoire ainsi qu'aux missions de défense et de sécurité de l'État. L'origine de cette administration contemporaine remonte comme pour d'autres au Consulat et à l'Empire. En 1801, l'État obtint le monopole du transport des lettres inférieures à un kilogramme, tandis qu'en 1804 le Premier Consul créait la direction générale des Postes rattachée au ministère des Finances. Ainsi, l'histoire de la Poste participe de cette pratique continue au XIXe siècle : la création d'administrations nouvelles répondant à des missions et à des besoins nouveaux. Poursuivant le mouvement, en 1878, les dirigeants de la IIIe République réunirent l'administration des Postes et celle du Télégraphe. Le premier ministère des Postes et Télégraphes fut créé l'année suivante avec à sa tête le célèbre Adolphe Cochery. Dix ans plus tard, en 1889, après de vifs débats, le Téléphone était rattaché à cette administration : les PTT étaient nés. Les Postes et Télécommunications auront vécu ensemble un siècle, jusqu'en 1990.

Affirmer que les Télécommunications puissent être régies en dehors du giron d'une administration n'a pas causé le moindre tracas aux décideurs. Il suffit de comparer les réformes successives des deux entités (dont l'histoire est à écrire) pour s'en assurer. On conteste moins, *a priori*, que les Télécommunications puissent être une entreprise parce qu'il y a de la « technique », et qu'il s'agit d'un domaine qui relève de la compétence de « l'ingénieur ». Ces deux mots, traditionnellement attributs de l'entreprise, ont été le référent qui a permis à la minorité télécommunicante d'affirmer sa différence tout au long du XXe siècle.

En revanche, il a toujours existé une très forte ambiguïté autour de la Poste. Son aspect d'« entreprise économique » est pourtant tout aussi patent que son aspect d'« administration », si l'on se réfère aux débats sur son statut qui ont émaillé le siècle passé. Aujourd'hui, 40 % de son chiffre d'affaires est issu d'activités soumises à la concurrence. Mais cela n'est pas complètement nouveau, ainsi que le rappelait Richard Kuisel dans *Le Capitalisme et l'État en France*[5]. Il cite un libéral, Paul Leroy-Beaulieu, qui définissait les PTT, en

5. Paris, Gallimard, 1984, p. 29, p. 31 et p. 126.

1900, comme une entreprise d'État, jugeant dans le même temps que le monopole des Postes était inacceptable. Ces critiques devaient s'amplifier jusqu'en 1921, année où Henri Fayol rédigea son rapport intitulé *L'Incapacité industrielle de l'État : les PTT*[6] et aboutit à la création du budget annexe des PTT en 1923. Cette réforme annonçait un début d'autonomie et d'industrialisation de l'État – pour reprendre les termes de l'époque[7].

En 1990, Poste et Télécommunications sont devenues des entreprises : la disparition du ministère de tutelle en juin 1997, concrétisant les volontés des libéraux de la fin du siècle dernier, apparaît comme la suite logique de cette réforme qui, pourrait-on dire de façon provocatrice, aura duré trois quarts de siècle. Il y a là matière à réflexion.

D'ailleurs, quand on s'intéresse à l'histoire des PTT, deux constats s'imposent : les moyens de communication, des plus anciens aux plus récents (le télégraphe Chappe, le téléphone et les télécommunications), ont été largement étudiés[8], alors que la Poste l'a été essentiellement sous l'Ancien Régime grâce à Eugène Vaillé. Ainsi, au milieu des années 1990, l'histoire de la Poste aux chevaux était mieux connue que celle de la Poste des ambulants. Dans les années 1970, Pierre Nougaret rédigeait la somme intitulée *Bibliographie critique de l'histoire postale française*[9]. Mais, depuis lors, il y a eu un renouvellement de l'historiographie en France, qu'il s'agisse de l'histoire de l'administration ou de l'histoire des entreprises, et peu de choses ont été publiées si l'on excepte les travaux de Paul Charbon[10].

La Poste ayant été une administration, on devrait trouver des études à son sujet parmi les travaux des grands fondateurs de l'histoire de l'administration : Guy Thuillier ou Jean Tulard. Il y a quelques occurrences, mais rien qui puisse s'apparenter à des études de cas. Il en est de même pour les travaux

---

6. Paris, Dunod, 1921.

7. M. Le Roux, B. Oger, « Aux origines du budget annexe des PTT », Journée d'étude, 10 septembre 1999, *La Direction du budget entre doctrines et réalités, 1919-1944*, Paris, Comité pour l'histoire économique et financière de la France, 2001.

8. C. Bertho, *Télégraphe et téléphone, de Valmy au microprocesseur*, Paris, Livre de poche, 1981 ; *Télégraphe et téléphone, histoire des télécommunications en France*, Toulouse, Éres, 1984 ; M. Atten, *Histoire, recherche et télécommunication, des recherches au CNET 1940-1965*, Paris, Réseaux, 1996 ; P. Carré, « Édouard Branly et la TSF, tradition ou innovation », Actes du colloque organisé avec C. Blondel, in *Revue d'histoire des sciences*, Paris, PUF, 1993, t. XL-VI-1 ; *Téléphone d'un temps perdu, regards sur un objet technique*, Paris, Éd. du téléphone, 1995 ; avec M.-D. Leclerc, *France-Telecom, mémoire pour l'action*, Paris, Direction générale, France-Telecom, 1995 ; P. Griset, *Entreprise, technologie et souveraineté : les télécommunications de la France (XIXe-XXe siècle)*, Paris, Éd. Rive droite, 1996.

9. Montpellier, 1970, 2 vol.

10. *Quelle belle invention que la poste !*, Paris, Gallimard, 1991.

de Pierre Rosanvallon, Richard Kuisel ou Pierre Legendre. Pourtant, la Poste a été une administration sur laquelle l'État exerçait une forte tutelle, assumée en fonction des époques par un ministère ou un secrétariat d'État, avec ses rouages, ses concours, ses fonctionnaires, ses syndicats, ses pratiques, ses missions et sa vie quotidienne. Est-ce à dire que la Poste aurait été un peu trop une entreprise ? Mais, sous cet angle, il n'existe pas non plus de travaux importants. Or par bien des aspects, la Poste est une entreprise fonctionnant en réseau. Elle a toujours géré des flux. Le contraste est fort lorsque l'on compare les résultats de la recherche historique la concernant à ceux de l'histoire des Télécommunications. D'ailleurs, les thèmes traités s'inscrivent dans le mouvement d'histoire des entreprises et de l'innovation que connaît la France depuis quelques années.

Ni tout à fait administrative ni tout à fait industrielle, la Poste intéresse l'historiographie française dans toute son actualité. Car les problématiques relèvent de l'histoire de l'administration[11], de la fonction publique, donc d'une histoire politique, mais aussi de l'histoire sociale (des personnels[12], du syndicalisme[13], des grands corps, de la formation, de la promotion), de l'histoire économique avec en premier lieu l'aménagement du territoire (dont les problématiques relèvent de l'histoire urbaine[14] et rurale[15]), mais aussi d'une histoire des flux financiers (création des caisses d'épargne en

11. Deux thèses d'histoire du droit sont à signaler : O. Bataillé, *Naissance d'une administration moderne. La fusion des services postaux et télégraphiques français au* XIX*e siècle*, P. Nelidoff (dir.), université de Toulouse-I, CHP, 2002 ; O. Langlois, *Du monopole postal au service public*, J.-M. Poughon (dir.), université Robert-Schuman-Strasbourg, CHP, en cours.

12. M. Cartier, *Des facteurs et leurs tournées. Une élite populaire dans la France de la seconde moitié du* XX*e siècle*, thèse de sociologie, F. Weber (dir.), EHESS, CHP, 2002 ; C. David, *Le Personnel des Postes en France à travers l'exemple des cinq départements bretons, 1830-1914*, DEA, C. Geslin (dir.), université de Rennes-II, 1999 ; O. Join-Lambert, *Le Receveur des Postes, entre l'État et l'usager (1944-1973)*, Paris, Belin, 2001 ; B. Mahouche, *Les Employés des centres de tri de la région parisienne : gestion de la main d'œuvre, mobilité professionnelle et géographique, 1945-1989*, M. Margairaz (dir.), université de Paris-VIII, CHP, doctorat d'histoire en cours.

13. F. Pacoud, *L'Histoire du syndicalisme postal, 1909-1947*, mémoire de DEA, D. Barjot et M. Le Roux (dir.), université de Paris-IV, CHP, 1999, doctorat en cours.

14. H. Hubart, *Urbanisation et équipement postal. Les bureaux de postes en banlieue parisienne du milieu du* XIX*e siècle à la fin des années 1930. Le cas du nord-est de l'ancienne Seine*, mémoire de maîtrise, A. Fourcault (dir.), université de Paris-I, CHP, 1999.

15. Cf. les travaux d'histoire régionale en cours dont la liste est publiée chaque année dans *Apostille*, le bulletin du Comité pour l'histoire de La Poste, citons le doctorat de S. Richez, *La Poste en Normandie, 1830-1914*, J.-P. Daviet et M. Le Roux (dir.), université de Caen, 2002.

1881 et des chèques postaux en 1918[16]), de lettres ou d'objets, du réseau (le réseau des bureaux, de la logistique permettant le transport), d'une histoire de l'innovation technique (on pense ici à la mécanisation des centres de tri ou à l'informatisation des bureaux de poste et des centres de chèques postaux[17]), d'une histoire des échanges, du commerce, d'une histoire de la colonisation… Mais c'est aussi et surtout une histoire de la maîtrise du temps où pouvoir et vitesse sont si intimement liés que cette histoire met en lumière, le lien étroit entre pouvoir et innovation donnant ainsi une autre dimension au politique. C'est aussi parce que l'histoire de la Poste est une histoire des faits et de la vie quotidienne qu'il faut consulter tous les types d'archives afin d'écrire son histoire sur la durée.

Dans un premier temps, puisqu'il existait davantage d'informations disponibles pour l'Ancien Régime, a été publié un guide de recherche pour le XIXe et le XXe siècles[18]. Il s'inscrit dans la tradition des ouvrages d'introduction à l'histoire tels que les spécialistes de la période contemporaine[19] les ont élaborés. Le volume sur l'Ancien régime[20] est en cours, intégrant les travaux d'Eugène Vaillé et de Pierre Nougaret. Ces deux ouvrages proposent de nouvelles problématiques.

Il existe quelques travaux pionniers comme ceux de Susan Bachrach sur la féminisation du travail[21], de Dominique Bertinotti sur le personnel des Postes sous la IIIe République[22], de F. Rouquet[23], ainsi que les actes du

---

16. B. Oger, *La Caisse nationale d'épargne : origine, enjeux, développements (1861-1914),* M. Margairaz (dir.), université de Paris-VIII, CHP, 2002, et *Les CCP, l'État et les Français, 1900-1925*, mémoire de maîtrise, M. Margairaz (dir.), université de Paris-VIII, 1993.

17. N. Salanon, *La Poste face aux changements technologiques : la modernisation du service des chèques postaux à travers la mécanisation et l'informatisation de 1945 à 1980*, mémoire de maîtrise, P. Griset (dir.), université de Bordeaux-III, CHP, 1999.

18. M. Le Roux, B. Oger (coll. J. Foynat), « Pour une histoire de la Poste au XIXe et XXe siècle », *Apostille*, n° hors série, hiver 1998-1999.

19. F. Barbier, *Bibliographie de l'histoire de France*, Paris, Masson, 1986 ; M. Dreyfus, *Les Sources de l'histoire ouvrière, sociale et industrielle en France*, Paris, Édition ouvrière, 1983 ; C. Charle, J. Nagle, M. Richard et D. Woronoff, *Prosopographie des élites françaises (XVIe-XXe siècle),* Paris, IHMC, 1980 ; A. Fourcault (dir.), *Un siècle de banlieue parisienne (1859-1964)*, Paris, L'Harmattan, 1988 ; J. Félix, *Économie et finances sous l'Ancien Régime, guide du chercheur, 1523-1789*, Paris, CHEFF, 1994.

20. E. Tunck, avec la coll. de C. Nau, « Pour une histoire des Postes sous l'Ancien Régime », *Apostille*, n° hors série, à paraître.

21. *Dames employées : The Feminization of Postal Work in the Nintieth Century in France*, The Haworth Press, 1984 ; A. Farge et Ch. Klapisch-Zuber (présenté par), *Mesdames ou mesdemoiselles ? Itinéraires de la solitude féminine (XVIIIe-XXe siècle)*, Paris, Arthaud-Montalbac, 1984.

22. *Recherches sur la naissance et le développement du secteur tertiaire en France : les employées des PTT sous la IIIe République*, thèse de 3e cycle, J. Bouvier (dir.), Paris, 1984.

23. *Une administration française face à la Deuxième Guerre mondiale : les PTT*, M. Lacroix-Riz (dir.), université de Toulouse-II, 1988.

colloque sur la Seconde Guerre mondiale[24]. Ceux d'une nouvelle génération d'historiens commencent à être disponibles, comme l'attestent les articles de ce volume. Mais nous ne sommes pas encore à l'heure de la synthèse[25], de l'histoire générale des Postes souhaitée par Yves Lequin quand il présentait les travaux des premiers étudiants et des chercheurs du CHP lors de la journée d'étude de février 1998.

Nos objectifs sont doubles : rappeler, à partir de travaux menés par des chercheurs ayant d'autres objets d'étude que la Poste, qu'il est possible d'écrire une histoire de cette institution avec des sources originales, différentes des fonds classiques, et permettre à ceux qui ont choisi la Poste comme objet d'étude d'exposer l'intérêt de ces nouvelles approches. Ainsi tous les auteurs ont-ils respecté la règle en présentant leurs sources avant de livrer un exemple de leurs travaux.

Dominique Barjot, après avoir dressé un bilan de l'historiographie de l'histoire de l'administration et des entreprises, rappelle que la Poste est un objet d'étude rêvé pour réhabiliter le temps long, du Moyen Âge à l'époque actuelle. Il fait écho aux propos de Daniel Roche. Dans le même esprit, il semble que la Poste se prêtera à merveille aux questionnements de l'histoire comparée, même si les travaux étrangers sont encore peu nombreux.

Les guides de recherche par la recension générale des sources possibles et leur présentation nationale constituent un outil important. Mais la création d'un service national des archives par La Poste, en 1997, reste l'acte déterminant dans l'effort de préservation patrimonial mené par l'entreprise. Son conservateur, Anne Burnel, précise que la situation des archives se mesure à l'aune de la taille de l'entreprise, l'une des plus grande de France (plus de 300 000 postiers et 17 000 points de contacts). Afin d'endiguer le flot (1 330 km linéaires en 1996, 106 km linéaires supplémentaires par an), il faut organiser, gérer, traiter et détruire ; la priorité étant de répondre avant tout aux besoins de l'institution. Il est certain que les historiens bénéficient, eux aussi, de cette politique.

Selon certaines idées reçues, la sécurité et la régularité du transport des lettres ou des créances seraient l'apanage de l'époque actuelle. Or, Jacques Bottin, traitant de la circulation de l'information dans la sphère des échanges commerciaux à la haute époque moderne, à partir des archives des entreprises commerciales, nous apprend que l'acheminement était sûr et régulier, soulignant combien cette circulation « immatérielle » était importante dans la gestion

24. *L'Œil et l'oreille de la Résistance. Action et rôle des agents des PTT dans la clandestinité au cours de la Seconde Guerre mondiale*, Actes du colloque du CHP, IHTP, 1984, Paris, Éditions Éres, 1986.

25. B. Oger, « Les mutations de la Poste de 1792 à 1990, entre ruptures et continuités », *Flux*, 2e semestre 2001.

des affaires. Histoire des réseaux, des opérateurs qui dépasse largement celle des postes royales et atteste la vitalité et la complexité des stratégies de l'échange européen. L'espace concerné ici nous promène à travers toute l'Europe, de l'Espagne aux Pays-Bas en passant par l'Italie, la France et l'Allemagne.

L'histoire des relations commerciales vue au travers des correspondances privées incite à élargir la quête de documents originaux pour dépasser le cadre de l'histoire des institutions et envisager celle des communications selon la diversité des acteurs. C'est le sens des propos de Patrick Marchand qui nous offre une recension des sources « habituelles » de l'histoire moderne. Les généalogistes fournissent des travaux érudits qui facilitent l'approche des historiens, même s'il ne s'agit pas de prosopographie. Ainsi, l'étude d'un groupe social, les maîtres de poste, permet, grâce à l'approche microéconomique, une mise en perspective macroéconomique en éclairant la politique des gouvernants à propos des transports publics.

Cela est d'autant plus vrai qu'il existe une modernité et une actualité des débats sur le coût du transport de la lettre. Ils révèlent toute la difficulté qu'éprouve le législateur à concilier aménagement du territoire, service public et coût économique de la gestion de ce service. Nicolas Verdier, partant de l'étude des tarifs postaux entre 1789 et 1870, nous montre combien l'administration postale, en liaison avec la fiscalité, a contribué à la mise en place du maillage du territoire national, avec la nécessité préalable de penser la notion de découpage de celui-ci.

Pour la gestion de ce réseau en cours de constitution, on peut retenir le point de vue de l'administration centrale et tenter de comprendre comment on en est venu à créer un ministère des Postes et Télégraphe. Cette histoire n'est pas linéaire : l'idée de cette création a animé les hommes politiques durant tout le XIXe siècle. Olivier Bataillé rapporte les luttes et les enjeux de pouvoir qui se sont cristallisés autour de celle-ci pour essayer de rationaliser la gestion tutélaire de ces deux administrations. Il est question ici de monopole : monopole fiscal et politique pour les Postes, monopole de la sécurité de l'État pour le Télégraphe qui dépendait du ministère de l'Intérieur. Si la fusion peut s'expliquer par des motifs économiques, l'instabilité de l'autorité de tutelle allait encore durer. Cette création s'est accompagnée de la mise à disposition pour tous les Français du télégraphe, et il est surprenant de constater qu'il n'est pas fait mention du téléphone qui, après avoir été racheté par l'administration en 1889, n'aurait pas été l'objet des mêmes débats.

Le trajet de la Malle des Indes reliant la Grande-Bretagne au fleuron de son Empire *via* l'Italie ou la France fut, elle aussi, l'objet de vifs débats. Michèle Merger montre que si l'histoire de la Poste peut s'écrire à partir de sources originales, elle est intimement liée à celle de la maîtrise du temps. Au cœur de la Méditerranée, la route italienne a concurrencé la voie française passant par Marseille. Les Italiens ont eu de grandes difficultés à convaincre les Britanniques de leur confier le passage de la Malle. La construction des chemins de fer a rehaussé les critères : service de messagerie et rapidité étaient prioritaires, à cela s'ajoutaient la sûreté et le confort. Il s'agit alors de la naissance du tourisme international. Aussi n'est-ce qu'après la guerre de 1870 que les Italiens ont obtenu le passage régulier de la Malle. Le percement du tunnel du Mont-Cenis a assuré ce passage, réduisant encore le délai entre Londres et Bombay et confortant le tracé italien.

L'histoire de la Poste favorise un kaléidoscope de monographies régionales. Quelle que soit la période concernée, ces monographies n'en participent pas moins à un projet collectif. Alors qu'il est difficile de mener à bien des enquêtes collectives, il faut accorder à ces travaux la place qu'ils méritent : pour peu que les étudiants prennent la peine de les lire et se plient aux règles de l'histoire comparée, les résultats sont encourageants. Sébastien Richez présente un exemple de l'histoire des Postes et de leurs personnels en Normandie au XIXe siècle. Loin de l'image d'Épinal réduisant les personnels de la Poste au facteur, on découvre qui étaient ces hommes. Cette histoire de « l'envers du décor », loin de la « tour centrale » des ministères telle que Guy Thuillier la décrivait, montre le rôle exacerbé des réseaux d'influence, des recommandations, et la misère morale. Et l'on perçoit les stratégies que l'État a mises en place pour accroître le degré d'alphabétisation des provinces. L'exemple normand n'est d'ailleurs pas sans rappeler l'étude d'Alain Corbin sur le Limousin[26]. Une double approche permet à Sébastien Richez de replacer les postiers au milieu des administrés qu'ils desservent tout en essayant de présenter l'aspect quantitatif qui, grâce aux enquêtes dépouillées, permettra une comparaison avec les autres régions françaises.

Il est aussi difficile de définir le syndicalisme postal que de définir la Poste. Après avoir évoqué la rudesse du travail et la précarité du statut d'une partie du personnel des postes, Frédéric Pacoud nous invite à réfléchir sur l'aspect avant-gardiste des revendications des postiers dû sans doute à la proximité avec le monde ouvrier. Les liens avérés avec ce dernier, toujours réticent à accueillir des fonctionnaires, se sont d'abord exprimés par le biais d'associations jusqu'à ce que le syndicalisme des employés de l'État soit autorisé. Les deux guerres mondiales, par l'accroissement du poids de l'État dans l'économie d'une part, et la volonté de garantir les droits fondamentaux après 1945 d'autre part, ont été des éléments qui ont contribué à la reconnaissance du droit syndical des fonctionnaires en 1946. L'exemple de la contribution des femmes dans les associations quant à l'adhésion au principe « à travail égal, salaire égal » montre que les débats ont été longs, houleux et très ambigus. Les femmes revendiquaient un concours d'entrée unique, transparent,

26. *Archaïsme et modernité en Limousin*, Paris, Marcel Rivières et Cie, 1975, 2 vol.

assumant la concurrence avec les personnels masculins. En revanche, les hommes militaient pour un temps de travail limité au nom d'une infériorité physique des femmes. Les bases d'un féminisme postal étaient posées. Il ne devait aboutir qu'en 1972, année où les femmes furent admises à se présenter à tous les concours des PTT.

Au cours des dernières années du XIXe siècle, une fois la question du ministère arrêtée, les Républicains cherchèrent également à « gérer » l'épargne populaire, au moment même où, selon Benoit Oger, l'administration augmentait ses effectifs et se tournait résolument vers les nouvelles techniques. Appréhender la genèse de la Caisse nationale d'épargne suppose que l'on croise les sources et que l'on emprunte à l'histoire politique et économique mais aussi sociale et culturelle. Si le modèle anglais des *Post Office Saving Banks* fut évoqué sous le Second Empire, il faut attendre 1878 pour que, après de nombreux débats parlementaires, soit créée la Caisse nationale d'épargne, s'appuyant sur le maillage des bureaux de poste afin de collecter l'épargne dans les endroits les plus enclavés de France. Le succès s'explique par la garantie accordée par l'État. L'analyse de la composition sociale des déposants atteste le rôle de la Poste en matière d'éducation financière, complétant l'effort des Républicains pour l'éducation, puisque toutes les couches de la population y sont représentées. Cet apprentissage aurait été précurseur d'un nouveau comportement économique. Mais il est encore difficile de savoir quelle fut la fonction réelle des livrets, comptes chèques courants ou comptes d'épargne. L'étude des flux apportera peut-être une réponse.

La Seconde Guerre mondiale a touché une nouvelle fois le département du Nord, l'invasion allemande de mai-juin 1940 ayant désorganisé le réseau postal en détruisant les bureaux de poste et en jetant sur les routes une partie des personnels, avant que le département ne passe sous la tutelle allemande. Comment un service public français dans une zone réservée, c'est-à-dire dépendant du commandement militaire allemand de Bruxelles, a-t-il pu fonctionner ? Cela impliquait que l'administration lilloise dépendant du ministère français et des autorités allemandes réglemente toute l'activité postale de communication. La reprise du trafic postal eut lieu dès la fin du mois de juin 1940. Malgré les contraintes imposées par l'Occupation, le trafic fut intense tant les familles étaient dispersées et les télécommunications surveillées. Carlos Da Fonseca nous apprend que le volume du trafic postal a doublé au cours de la période pour le département du Nord. Aussi fut-il nécessaire de trouver des solutions de remplacement pour assumer cette croissance et palier les irrégularités de la SNCF. Tout cela se fit avec très peu d'effectifs. Cela donne l'image d'un service public tout à fait honorable… que la Libération désorganisa de nouveau.

Odile Join-Lambert nous rapporte que les débats furent nombreux entre 1946, année de l'adoption du statut général des fonctionnaires, et 1958, année où les receveurs obtinrent de conserver un statut particulier : appartenir à un corps unique malgré la grande diversité de fonction que le métier suppose. Elle examine ce qu'étaient la mission de ce fonctionnaire, comptable public au contact des usagers, les règles juridiques et les pratiques attachées aux fonctions de chef de bureau de poste, qui selon les lieux pouvait diriger entre une ou deux et un millier de personnes. Cette étude montre qu'il existe, pour le receveur, une grande marge d'adaptation aux diversités locales même s'il évolue à l'intérieur du service public.

Marie Cartier, en étudiant les facteurs et l'espace urbain au cours du demi-siècle écoulé, tente de reconstituer le parcours de ces agents subalternes qui, bien que situés au bas de la hiérarchie, seraient peut-être le maillon stratégique des Postes en entretenant un contact permanent avec les usagers. Laissant de côté la figure d'Épinal du facteur rural, elle a choisi de s'intéresser aux facteurs urbains à l'époque de la constitution des grands ensembles. En réunissant des échelles d'observation différentes à partir de sources variées, elle pose la question des conditions sociales d'existence du groupe des facteurs et de sa place dans la société française depuis la Seconde Guerre mondiale. Elle tente par là même de vérifier s'il existe un lien entre les comportements des agents et l'institution publique que fut la Poste.

Toutes les questions posées dans cet ouvrage trouvent leur écho dans les propos de Daniel Roche qui évoque en matière de conclusion la capacité de l'institution à porter un regard sur elle-même. L'histoire traduit, dans ce cas, une volonté de reconquête culturelle pour agir, intégrer les critiques et comparer les choix dans le temps, pariant ainsi sur la possibilité d'une histoire intellectuelle des objets et des procédés et continuant donc l'œuvre d'histoire économique et sociale déjà initiée.

Généralités

L'historiographie et les entreprises

Dominique BARJOT[1]

« Je maintiendrai ! » Attribuée à Guillaume le Taciturne, cette formule pourrait aussi bien s'appliquer à la Poste. Traversant les époques, telle qu'en elle-même, celle-ci fait toujours partie de notre environnement le plus quotidien. Elle demeure un moyen de communication d'une grande vigueur ; jamais probablement le rituel des cartes de vœux n'a été aussi vivace qu'aujourd'hui. Plus largement, elle imprègne notre univers : le calendrier, le timbre sont des produits toujours aussi utilisés, qui évoluent, certes, mais sans cesser d'être eux-mêmes. La Poste apparaît aussi comme le meilleur vecteur de la notion de service public. Y contribue en premier lieu le facteur, l'archétype du « bon fonctionnaire », probablement le mieux accepté de l'opinion. De son côté, le bureau de poste fait figure de symbole de la vie communale au même titre que la mairie ou l'église. Il continue à incarner la modernité au village à l'époque de la « rurbanisation » et y demeure, grâce au fax et à l'Internet, l'un des instruments essentiels du désenclavement.

L'histoire de la Poste est très ancienne et constitue de ce fait, en soi, un objet privilégié d'histoire. L'occasion a semblé excellente de lancer un ambitieux projet de recherches historiques. Il existe en effet à la fois une offre des historiens, qui traduit le dynamisme de l'histoire des entreprises et de celle des institutions, et une demande émanant de ces mêmes institutions. Elle correspond à la prise de conscience qu'il existe une culture d'entreprise, voire une culture d'institution. Cette culture constitue un atout, que l'entreprise – ou l'institution – doit entretenir et cultiver pour améliorer ses performances.

1. Professeur à l'université de Paris-IV-Sorbonne.

De la part des historiens, une offre d'histoire des entreprises

Cette offre existe pour toutes les époques. La Poste est, en un sens, l'objet rêvé pour réhabiliter le temps long et échapper au carcan encore pesant des barrières de périodes. De ce point de vue, elle offre un lieu symbolique de coopération entre modernistes et contemporanéistes, et même médiévistes. Dans une même perspective, elle ouvre la voie à des approches comparatives à l'échelle européenne, occidentale (Europe/Amérique du Nord/anciens *dominions*), sinon mondiale (Europe/Extrême-Orient ou monde islamique). Ici, faute de pouvoir aborder tous ces aspects, on se limitera, dans un premier temps, aux seuls historiens de la période contemporaine.

Deux thèmes en particulier ont fait, ces dernières années, l'objet d'un renouvellement historiographique évident. Il s'agit en premier lieu de l'histoire de l'État. Pierre Rosanvallon, André Gueslin et Pierre Guillaume ont ainsi apporté des vues neuves sur son rôle dans la mise en place d'une économie sociale. Les politiques économiques ont également fait l'objet de travaux éclairants. Les impulsions primitives données par Jean Bouvier, François Caron ou Maurice Lévy-Leboyer ont, dans les années récentes, débouché sur de grandes thèses telles que celles de Michel Margairaz, qui met bien en évidence le rôle déterminant du Trésor public, de Claire Andrieu sur le système bancaire français ou de Michel Chélini sur la politique des prix sous la IVe République. Il convient de faire une place à part à la question des transports, bien explorée par Michèle Merger ou, plus récemment, par Laurent Bonnaud et Nicolas Neïertz. Nous nous sommes de même intéressé aux travaux publics. Les travaux sur la planification ont également marqué le début des années 1980, puis les historiens se sont intéressés aux nationalisations.

Une autre zone de dynamisme de la recherche réside dans l'étude des relations internationales : on peut citer, à ce propos, les travaux d'Éric Bussière sur les relations économiques franco-belges entre les deux guerres, de Gérard Bossuat sur celles entre les États-Unis et la France à l'époque du Plan Marshall, de Robert Frank sur le déclin français à la veille de la Seconde Guerre mondiale et, surtout, de Georges Soutou sur les buts de guerre des grandes puissances. Plus récemment sont venus s'ajouter des travaux qui renouvellent notre connaissance du rôle international des milieux d'affaires (Laurence Badel), celle des relations économiques franco-allemandes de 1945 à 1955 (Sylvie Lefèvre) ou celle de la Direction des finances extérieures du ministère des Finances.

Ne négligeons pas non plus l'apport des économistes : ceux de l'ISMEA (Institut de sciences mathématiques et économiques appliquées), avec Louis Fontvieille, ou de l'Insee, mais aussi ceux de Robert Delorme et Christine André sur l'État et l'économie, de Bruno Théret sur les finances publiques, d'Yves Leclercq sur les politiques économiques, de Marc Flandreau (EHESS et OFCE) et de Jean-François Vidal (Paris-XIII) sur les relations financières internationales. Enfin, dans ce même registre, un ouvrage essentiel est né de la collaboration entre économistes et historiens : *Entre l'État et le marché, 1880-1980*, sous la direction de Maurice Lévy-Leboyer et Jean-Claude Casanova. Pour la période des Trente Glorieuses, on ne doit pas minimiser l'apport des publications de la Documentation française.

Le second domaine ayant donné lieu à un renouvellement des acquis de la recherche est l'histoire de l'industrialisation et des entreprises. Encouragée par certaines initiatives anglo-saxonnes, elle a beaucoup bénéficié des apports de l'archéologie industrielle sous l'impulsion de Louis Bergeron ou de Jean-Yves Andrieux. Elle s'est de même beaucoup nourrie des travaux sur l'histoire de l'innovation : à cet égard le rôle de Bertrand Gille et celui de François Caron ont été fondamentaux. Ils ont permis d'affirmer l'originalité de l'école française d'histoire des techniques face aux interrogations des historiens anglo-saxons, notamment Robert Fox. Cette histoire des entreprises a beaucoup progressé depuis les travaux fondateurs de Claude Fohlen sur les Méquillet-Noblot (1955) et l'industrie textile française à l'époque du Second Empire (1956). Il en émerge une image renouvelée du capitalisme français. Les recherches des historiens ont d'abord porté sur l'étude du mouvement du profit des structures productives, tant sous l'angle de la concentration (François Caron et Éric Malinvaud) que de la démographie des entreprises (Pierre Deyon et Jean-Pierre Hirsch, Jean-Claude Chevailler, Philippe Jobert, L. Marco). À cela s'ajoutent de nombreuses études régionales (Pierre Cayez, Marcel Gillet) ou de branche (Denis Woronoff, Emmanuel Chadeau). Les économistes ont, comme les historiens, beaucoup exploré la question de l'économie de l'innovation. Enfin, ils ont souvent apporté des éclairages neufs sur les entreprises étrangères : ainsi la thèse d'Isabelle Lescent-Giles ou les travaux de Michel Hau et Jean-Paul Bled sur l'Allemagne et l'Autriche-Hongrie.

Cependant, les principales avancées concernent la grande entreprise au travers de thèses remarquables : celles de Jean Bouvier, sur le Crédit lyonnais, de François Caron sur les Chemins de fer du Nord, puis de Patrick Fridenson sur Renault, de Jean-Pierre Daviet sur Saint-Gobain et d'Alain Baudant sur Pont-à-Mousson. De ces travaux ressort en particulier l'importance des réseaux et de l'autofinancement. Plus rares ont été les recherches menées sur les PME. Toutefois, un certain nombre d'universitaires ont évoqué le problème. La plupart des publications concernent le XIXe siècle. Dans la droite ligne des initiatives de Philippe Vigier et de Jeanne Gaillard, la question a été abordée par Gérard Jacquemet, Alain Faure ainsi que par Isabelle Brelot et Jean-Luc Mayaud. Enfin, l'entreprise publique a également été l'objet de recherches : Alain Beltran et Henri Morsel se sont intéressés à EDF, tandis que Pascal Griset se consacrait aux Télécommunications.

L'entreprise, c'est bien sûr l'entrepreneur. L'apport majeur de l'historiographie récente a été la remise en cause du modèle de l'entrepreneur français uniformément malthusien tel que l'ont dépeint les historiens américains John Sawyer et David S. Landes. Trois approches principales ont été adoptées par les historiens. Les uns ont opté pour la biographie, à l'instar de Jean-Noël Jeanneney, qui a conté la carrière de François de Wendel, le grand sidérurgiste, d'Éric Bussière, auteur d'un Finaly remarqué, ou de Frédéric Barbier, auteur d'une belle étude de la dynastie des Fould. D'autres ont opté pour l'approche statistique, comme Maurice Lévy-Leboyer (à propos du patronat de la seconde industrialisation). D'autres enfin ont choisi une voie moyenne, celle de la prosopographie, c'est-à-dire la constitution d'une biographie collective débouchant sur la constitution d'un échantillon de taille limité, mais sur lequel on possède des informations relativement complètes. Bien représentatifs de ce courant sont les travaux de Louis Bergeron, Jean-Pierre Chaline, Serge Chassagne, respectivement consacrés aux banquiers et négociants de l'époque du Premier Empire, aux bourgeois de Rouen durant le XIXe siècle ainsi qu'à trois générations de cotonniers (1760-1840). Il s'agit là de techniques bien adaptées à l'étude des élites.

Certains ont su, par ailleurs, concilier les trois approches précitées, par exemple Michel Hau, auteur d'une thèse sur l'industrialisation de l'Alsace, Jean-Pierre Hirsch, à propos du grand commerce lillois, Jean-Charles Guillaume, sur l'Auxerrois.

Il convient d'évoquer à ce propos le dynamisme de la *Business History* à la française. Le symbole en est la création de la revue *Entreprise et Histoire*, à l'initiative notamment de François Caron, Emmanuel Chadeau, Patrick Fridenson, Henri Morsel et Christian Stoffaes. Le renouvellement des approches concerne d'abord les entreprises dans leur ensemble. François Crouzet a conduit un groupe de travail sur le négoce international. Michael Moss, Philippe Jobert, Michel Lescure et Alain Plessis ont ainsi coordonné des programmes de recherche sur « Naissance et mort des entreprises », « Le financement de l'entreprise au fil de l'industrialisation », « Les réseaux d'entreprises ». Des chercheurs tels que Pierre-Cyrille Hautcœur, André Straus ou Patrick Verley ont fait beaucoup progresser notre connaissance des mécanismes de financement des entreprises. Enfin la Seconde Guerre mondiale a récemment avivé l'intérêt des chercheurs.

L'œuvre de Patrick Verley est particulièrement importante. Spécialiste de la première révolution industrielle (voir par exemple son ouvrage *Les Échelles de l'Occident*), il a aussi mené à bien une enquête très originale sur les agents de change parisiens au XIXe siècle. De son côté, Jacques Marseille en a lancé une autre sur les performances des entreprises françaises au XXe siècle à partir des annuaires de la Cote Desfossés. Enfin, Michel Lescure s'est imposé à travers une thèse fort neuve sur *Petites et moyennes entreprises et performance économique*. Menée à partir des archives du Crédit national, elle atteste l'intérêt grandissant des historiens pour le problème du financement des entreprises. Ils s'intéressent de même, à l'instar de Pierre Lanthier, de plus en plus à la question du comportement des entreprises en temps de crise. Un autre champ pionnier de la recherche réside dans les comportements de cartels, nationaux ou internationaux.

Les historiens ont manifesté un intérêt grandissant à l'égard de la question de l'américanisation ainsi que celle des réseaux, dans la droite ligne des problématiques de Gabriel Dupuy. Ils se sont aussi préoccupés de l'analyse des problèmes de gestion et d'organisation, largement à l'initiative des historiens américains. On peut, de ce point de vue, évoquer la thèse d'Aimée Moutet consacrée aux progrès de la rationalisation dans l'entreprise entre les deux guerres : elle y étudie les rapports entre changements d'organisation technique et problèmes sociaux. De même, il est possible d'évoquer la thèse de Marc Meuleau sur *HEC et l'évolution du management en France*. C'est en particulier sur l'étude du management de la main-d'œuvre qu'ont porté les recherches des historiens. L'exemple de la Première Guerre mondiale a été bien étudié autour de Patrick Fridenson. Ce dernier a récemment dirigé un important travail sur l'entreprise en tant que société (au sens des sociologues). On peut, sur ce plan, rappeler la richesse des travaux du Centre Pierre Léon, menés à l'initiative d'Yves Lequin et de Sylvie Schweitzer. En donne un bon exemple l'ouvrage codirigé par ces deux auteurs sous le titre *L'Usine et le bureau*. Plus récemment, Catherine Omnès a publié une remarquable thèse sur les ouvrières de la région parisienne : elle y étudie les liens entre marché du travail et trajectoires professionnelles. Il en va de même des ingénieurs bien étudiés par les auteurs français, André Grelon et André Thépot, et anglo-saxons.

Il convient de souligner combien ont été et demeurent fructueuses les approches de branche ou d'entreprise. Les travaux ont porté principalement sur la banque (Hubert Bonin, Éric Bussière, André Gueslin sur le Crédit agricole, Marc Meuleau), mais aussi le textile (Gérard Gayot, Claude Ferry, Didier Terrier, Geneviève Dufresne, Jean-Claude Daumas, Jean-Louis Lenhof et François Lefebvre), la sidérurgie (Bertrand Gille, puis Éric Bussière, Philippe Mioche et Éric Godelier) et l'industrie de l'aluminium (Ludovic Cailluet, Florence Hachez-Leroy, Muriel Le Roux). Plus récemment, les chercheurs se sont intéressés au bâtiment et aux travaux publics (Agnès d'Angio, Anne Burnel, Arnaud Berthonnet et Florence Doux), à l'électricité (Pierre Lanthier, Alain Beltran, Christophe Bouneau, Denis Varaschin, Catherine Vuillermot, Alexandre Giandou et François Bernard), voire au gaz (Jean-Pierre Williot) et à la pharmacie (Sophie Chauveau). Tandis que la papeterie (Louis André) et le livre (Frédéric Barbier) donnaient lieu à des travaux stimulants, c'est aujourd'hui l'industrie du luxe qui focalise le plus l'activité de recherche : il paraît nécessaire de souligner l'intérêt des thèses d'Élisabeth de Porcheville et de Rosine Lheureux sur la parfumerie, de Marc de Ferrière sur Christofle, de Pierre Vernus sur l'entreprise de soieries Bianchini-Ferier, de Michel Étienne sur la maison de champagne Veuve Cliquot, de Claire Deshoir sur Moët et Chandon, de Delphine Quéreux sur la Tapisserie d'Aubusson ou de Nicolas Georges sur la maison de commerce Briansiaux.

De la part des institutions, une demande forte

Face à ce dynamisme de l'histoire d'entreprise, il est à remarquer que l'on a affaire aujourd'hui à une demande forte de la part des institutions. Cette demande traduit un besoin général, fruit d'une évolution récente. Deux facteurs, entre autres, y contribuent. Le premier tient à la révolution de la communication, qui favorise un retour à l'individu : l'irruption du portable, le développement du télétravail traduisent une évolution conduisant à un conflit grandissant entre intérêt individuel et intérêt collectif. Ce dernier apparaît d'autant plus sensible qu'au sein du revenu national l'importance relative des revenus de transfert ne cesse de s'accroître. Ces derniers témoignent du poids grandissant de la solidarité nationale. Mais, parallèlement, avec les nouveaux moyens de communication, on passe progressivement d'une société hiérarchique à une société fonctionnant en réseaux et au sein de laquelle l'individuel supplante le collectif. Pour préserver leur cohésion, les institutions, et en particulier les entreprises, aspirent à retrouver les fondements de leur héritage culturel.

Un second facteur réside dans l'accélération de la rotation du capital fixe, liée à celle du rythme de l'obsolescence technique. Cette accélération est particulièrement nette dans le domaine patrimonial. Non seulement l'apparition de nouveaux matériaux favorise souvent un raccourcissement de la durée de vie des produits, mais il en va de même pour les matériels : la disparition des modèles anciens conduit à se préoccuper d'en conserver la trace, d'où le sens grandissant revêtu par la démarche muséographique. Cette préoccupation semble particulièrement nette en ce qui concerne l'appareillage scientifique. La convergence de ces deux éléments favorise l'intérêt croissant des institutions pour leur propre histoire. Tel est d'abord le cas des ministères. Ceux de la Culture et de l'Équipement ont suivi la voie ouverte par le ministère de l'Économie et des Finances avec le Comité pour l'histoire économique et financière de la France, et celui de l'Industrie avec l'Institut d'histoire industrielle. Les établissements publics de l'État ou des autres collectivités publiques se sont engagés dans la même voie, à l'instar du CNRS qui, après avoir créé un comité, a lancé la *Revue pour l'histoire du CNRS*, de l'EPAD (Établissement public d'aménagement de la défense) ou des agences de bassin qui gèrent la politique de l'eau en France. Certains ont fait appel à des cabinets d'historiens-conseils.

Ce besoin d'histoire apparaît tout à fait net dans le cas des entreprises, mais aussi des associations et des syndicats, l'intérêt de ces derniers pour leur histoire découlant de la renaissance d'un syndicalisme professionnel au profit d'un syndicalisme industriel (la fin des OS et l'appel à l'immigration y ont beaucoup contribué). Ce même besoin d'histoire apparaît, d'une façon très large, lié à la notion de culture d'entreprise. Félix Torrès et Maurice Hamon l'ont bien montré dans *Mémoires d'avenir.* Cette culture d'entreprise peut se définir comme « l'ensemble des valeurs, croyances, normes qu'un groupe a adopté pour résoudre ses problèmes d'intégration interne et d'adaptation à son environnement. Elle suppose en particulier le repérage des paramètres d'une identité élaborée dans la durée. En outre, elle révèle un changement d'optique. Dépassant le taylorisme, les dirigeants de l'entreprise prennent conscience que celle-ci constitue un lieu de vie unique et singulier. Il s'ensuit une revalorisation de l'image de l'entreprise, qui prend une place centrale dans la société. Cette situation constitue un défi pour l'historien. En effet, l'étude des cultures d'entreprises implique une dialectique présent-passé, une hiérarchisation des événements au regard de la situation d'aujourd'hui, une interprétation de leurs enchaînements éclairés sous le même angle.

Loin de ne constituer qu'une réponse à une mode – même si cet aspect existe aussi –, l'étude des cultures d'entreprises amène à porter un autre regard sur l'histoire des firmes en élargissant les perspectives. Ici réside l'une des raisons essentielles du succès de la *Business History.* Celle-ci a donné lieu à quelques productions particulièrement remarquables : sur Saint-Gobain, Électricité de France, Gaz de France, Elf-Aquitaine, Alcatel, la maison de Dietrich, les AGF, Synthélabo, Pechiney ou encore Paribas. Ce succès de la *Business History* répond à un besoin de mémoire : il s'agit de trouver dans le passé les fondements d'une identité que le présent met à l'épreuve. Il est aussi le fruit d'un double besoin de communication interne (à destination des cadres, mais aussi de l'ensemble du personnel) et externe (en direction des clients, des fournisseurs, des partenaires financiers ainsi que du public en général). Enfin, la *Business History* offre une arme pour l'action, avec pour but de mobiliser le groupe autour de valeurs.

D'ailleurs ce besoin d'histoire s'exprime aussi dans la constitution d'associations à vocation historique. Tel a été le cas dans le domaine industriel, dans celui des transports, sous l'impulsion de François Caron. Toutes ces associations ont une revue, organisent des colloques et des tables rondes, développent une politique de publications, supportent des programmes de recherche et accordent des bourses. On doit ainsi mentionner l'Association pour l'histoire de l'électricité en France, l'Association pour l'histoire des chemins de fer en France, l'Institut pour l'histoire de l'aluminium, la Mission historique de la Banque de France et bien sûr le Comité pour l'histoire de La Poste.

Parce qu'à l'intersection de l'entreprise et de l'administration, la Poste tient une place à part dans le dispositif institutionnel français. Elle constitue, de ce fait, un objet d'histoire particulièrement important, original et… communicable. Elle fait partie de notre univers quotidien, et à ce titre offre un terrain privilégié aux approches microhistoriques. On ne peut qu'être convaincu qu'elle saura tenir le rôle d'étalon qui lui revient en matière d'étude de la culture d'entreprise et d'histoire des institutions.

BIBLIOGRAPHIE

ANDRÉ C., DELORME R., *L'État et l'Économie. Un essai de l'évolution des dépenses publiques en France (1870-1880),* Paris, Le Seuil, 1983.

ANDRÉ L., *La Papeterie en France (1799-1860). Aspects d'une mécanisation*, thèse de doctorat en histoire, université de Paris-I, 1993.

ANDRIEU C., *La Banque sous l'Occupation. Paradoxes de l'histoire d'une profession, 1936-1946*, Paris, Presses de la Fondation nationale des sciences politiques, 1990.

ANDRIEU C., Le Van L., Prost A., *Les Nationalisations de la Libération. De l'utopie au compromis*, Paris, Presses de la Fondation nationale des sciences politiques, 1987.

ANGIO A. d', *Schneider et Cie et la naissance de l'ingénierie (1836-1949).* Paris, CNRS Éditions, 2000.

BADEL L., *Un milieu libéral et européen. Le grand commerce français, 1925-1948*, Paris, Comité pour l'histoire économique et financière de la France, 1999.

BADEL L., BARJOT D., MORSEL H. (dir.), *La Nationalisation de l'électricité en France. Nécessité technique ou logique politique*, Paris, PUF, 1996.

BARBIER F., *Le Patronat du Nord sous le Second Empire : une approche prosopographique*, Genève, Droz, 1989.

—, *Livre, économie et société industrielle en Allemagne et en France au XIXe siècle (1840-1914)*, thèse de doctorat d'État, université de Paris-IV-Sorbonne, 1987.

BARJOT D. (dir.), *Catching up with America. Productivity Missions and Diffusion of American Economic and Technological influence after the Second World War,* Paris, Presses de l'université de Paris-Sorbonne, 2002.

—, « L'Histoire des entreprises aujourd'hui », *HES*, n° 4, 2001.

—, (dir.), « La reconstruction économique de l'Europe, 1945-1953 », *HES*, n° 2, 1999.

—, (dir.), *International Cartels Revisited. Vues nouvelles sur les cartels internationaux, 1880-1980,* Caen, Éditions du Lys, 1994.

—, *Travaux publics de France. Un siècle d'entrepreneurs et d'entreprises*, Paris, Presses de l'École des ponts et chaussées, 1993.

—, (dir.), *Les patrons du Second empire.* I. *Normandie-Maine-Anjou*, Paris, Picard, Le Mans, Cénomane, 1991.

—, *La Grande Entreprise française de travaux publics (1883-1974) : contraintes et stratégies*, thèse de doctorat d'État, université de Paris-IV-Sorbonne, 1989, 7 vol.

BARJOT D., BAUDOUÏ R., VOLDMAN D., *Les Reconstructions en Europe (1945-1949)*, Paris, Éditions Complexe, 1997.

BARJOT D., FARON O. (dir.), « Migrations, cycle de vie familial et marché du travail ». Paris, *Cahiers des Annales de démographies historique*, 2002.

BARJOT D., LESCENT-GILES I. (dir.), « L'autofinancement ». *Entreprise et Histoire*, n° 22, octobre 1999.

BARJOT D., LESCENT-GILES I., FERRIÈRE LE VAYER (M. de) (dir.), *L'Américanisation en Europe au XXe siècle : économie, culture, politique. Americanisation in 20th Century Europe : Business, Culture, Politics*, Lille, CRHEN-O, Presses de l'université de Lille-III, 2002, vol. I..

BARJOT D., MERGER M. (dir.), *Les Entreprises et leurs réseaux : hommes, capitaux, techniques et pouvoirs, XIXe-XXe siècle. Mélanges en l'honneur de François Caron*, Paris, Presses de l'université de Paris-Sorbonne, 1998.

BARJOT D., REVEILLARD C. (dir.), *L'Américanisation de l'Europe occidentale au XXe siècle. Mythe et réalité*, Paris, Presses de l'université de Paris-Sorbonne, 2002.

BAUDANT A., *Pont-à-Mousson 1918-1939. Stratégies industrielles d'une dynastie lorraine*, Paris, Publications de la Sorbonne, 1980.

BELTRAN A., *L'Énergie électrique dans la Région parisienne entre 1878 et 1946. Production, distribution et consommation d'électricité dans le département de la Seine*, thèse de doctorat d'État, université de Paris-IV-Sorbonne, 1995.

BELTRAN A., CHAUVEAU S., *Elf Aquitaine des origines à 1989*, Paris, Fayard, 1999.

BELTRAN A., FRANK R., ROUSSO H., *La Vie des entreprises sous l'Occupation*, Paris, CNRS Éditions, 1998.

BERGERON L., *Les Rothschild et les autres... La gloire des banquiers*, Paris, Perrin, 1990.

BERNARD P.-J., DAVIET J.-P., *Culture d'entreprise et innovation*, Paris, CNRS Éditions, 1992.

BERTHONNET A., *Chagnaud (1860 à nos jours) : le développement d'une entreprise moyenne familiale dans les travaux publics*, thèse de doctorat, D. Barjot (dir.), université de Paris-IV-Sorbonne, 1999, 3 vol.

BONIN H., *L'Argent en France depuis 1880. Banquiers, financiers, épargnants*, Paris, Masson, 1992.

BONNAUD L., *Le Tunnel sous la Manche. Deux siècles de passion*, Paris, Hachette, 1994.

BOSSUAT G., *La France, l'aide américaine et la construction européenne, 1944-1954*, Paris, Comité pour l'histoire économique et financière de la France, 1992.

BOUNEAU C., *Modernisation et territoire. L'électrification du grand Sud-Ouest de la fin du XIXe siècle à 1946*, Bordeaux, Fédération historique du Sud-Ouest, 1997.

BOUVIER J., *Naissance d'une banque : le Crédit lyonnais*, Paris, Flammarion, 1968.

BOUVIER J., PERROT J.-C., *États, fiscalités, économies*, Paris, Publications de la Sorbonne, 1985.

BOUVIER J., FURET F., GILLET M., *Le Mouvement du profit en France au XIXe siècle*, Paris, Mouton, 1975.

BRELOT C.-I., MAYAUD J.-L., *La Taillanderie de Nans-sous-Saint-Anne (Doubs)*, Paris, J.-J. Pauvert, 1982.

BRODER A., MARSEILLE J., TORRÈS F., *Alcatel-Alsthom. Historique de la Compagnie générale d'électricité*, Paris, Larousse, 1992.

BURNEL A., *La Société de construction des Batignolles de 1914 à 1939. Histoire d'un déclin*, Genève, Droz, 1995.

BUSSIÈRE E., *Horace Finaly, banquier 1871-1945*, Paris, Fayard, 1996.

—, *Paribas, l'Europe et le Monde, 1872-1992*, Anvers, Fonds Mercator, 1992.

CAILLUET L., *Structures d'organisation et pratiques de gestion de Pechiney des années 1880 à 1977*, thèse de doctorat, H. Morsel (dir.), université de Lyon-II, 1995, 3 vol.

CARON F., *Les Deux Révolutions industrielles du XXe siècle*, Paris, Albin Michel, 1997.

—, *Le Résistible déclin des sociétés industrielles*, Paris, Perrin, 1985.

—, *Histoire de l'exploitation d'un grand réseau. La Compagnie des chemins de Fer du Nord (1846-1937)*, Paris, Mouton, 1973.

CARON F., CARDOT F. (dir.), *Histoire de l'électricité en France,* t. 1, *1881-1918*, Paris, Fayard, 1991.

CARRÉ J.-J., DUBOIS P., MALINVAUD É., *La Croissance française. Essai d'analyse causale de l'après-guerre*, Paris, Le Seuil, 1977.

CAYEZ P., *Métiers Jacquard et hauts-fourneaux. Aux origines de l'industrie lyonnaise*, Lyon, Presses universitaires de Lyon, 1978.

CHADEAU E., *L'Industrie aéronautique en France (1900-1950). De Blériot à Dassault*, Paris, Fayard, 1987.

CHALINE J.-P., *Les Bourgeois de Rouen. Une élite urbaine au XIXe siècle*, Paris, Presses de la Fondation nationale des sciences politiques,1982.

CHANDLER A.-D. Jr, *Organisation et performances des entreprises*. Paris, Éditions d'organisation, 3 vol., 1992.

—, *Stratégies et structures de l'entreprise*, Paris, Éditions d'organisation, 1989.

—, *La Main visible des managers*, Paris, Économica, 1988.

CHASSAGNE S., *Le Coton et ses patrons. France, 1760-1840*, Paris, Éditions de l'EHESS, 1991.

CHAUVEAU S., *L'Invention pharmaceutique, la pharmacie entre l'État et la société au XXe siècle.* Paris, Sanofi-Synthélabo, 1999.

CHELINI M., *Inflation, État et opinion en France de 1944 à 1952*, Paris, Comité pour l'histoire économique et financière de la France, 1998.

CROLA J.-F., Guillerme A. (dir.), *Histoire et métiers du bâtiment aux XIXe et XXe siècles*, ministère de l'Équipement, du Logement, des Transports et de l'Espace, séminaire de Royaumont, 28-29-30 novembre 1989, Paris, CSTB, 1991.

CROUZET F.-M. (dir.), *Le Négoce international (XIIIe-XXe siècle)*, Paris, Économica, 1990.

DAUMAS J.-C., *L'Amour du drap. Blin et Blin : Elbeuf*, Besançon, Presses universitaires franc-comtoises, 1999.

DAVIET J.-P., *La Compagnie de Saint-Gobain, 1830-1939. L'émergence d'une grande firme internationale*, Paris, Éditions des archives contemporaines, 1988.

DAY C.-R., *Les Écoles d'arts et métiers*, Paris, Belin, 1991.

DUFRESNE-SEURRE G., *Les Waddington. Sept générations d'entrepreneurs*, thèse de doctorat de l'EHESS, Paris, 1990.

DUPUY G., *L'Urbanisme des réseaux*, Paris, A. Colin, 1991.

—, *Réseaux territoriaux*, Paris, Paradigme, 1988.

ÉTIENNE M., *Veuve Cliquot Ponsardin. Aux origines d'un grand vin de Champagne*, Paris, Économica, 1994.

FERRIÈRE M. de, *Christofle. Deux siècles d'aventure industrielle (1793-1993)*, Paris, Le Monde Éditions, 1995.

FOHLEN C., *Une affaire de famille au XIXe siècle : Méquillet-Noblot*, Paris, Plon, 1955.

FONTVIEILLE L., « Dépenses publiques et problématique de la dévalorisation du capital », *Annales ESC*, n° 2, mars-avril 1978, p. 240-254.

FOX R., WEISZ G., *The Organisation of the Science and Technology in France (1808-1914)*, New York, Mc Graw Hill, 1980.

FRIDENSON P., *Histoire des usines Renault.* 1. *Naissance de la grande entreprise (1898-1939)*, Paris, Le Seuil, 1972.

—, (dir.), « 1914-1918. L'autre front », *Cahiers du mouvement social*, n° 2, Paris, 1977.

FRIDENSON P., STRAUS A. (dir.), *Le Capitalisme français. Blocages et dynamisme d'une croissance*, Paris, Fayard, 1987.

GAILLARD J., « La petite entreprise en France aux XIXe et XXe siècles », in *Petite entreprise et croissance industrielle dans le monde aux XIXe et XXe siècles*, Paris, CNRS Éditions, 1981, t. 1, p. 131-181.

—, *Paris. La Ville (1852-1870)*, Paris, Honoré Champion, 1976.

GAYOT G., *De la pluralité du monde industriel. La manufacture royale de draps de Sedan (1646-1870)*, thèse de doctorat d'État, université de Lille-III, 1993.

GIANDOU A., *Histoire d'un partenaire régional de l'État : la Compagnie nationale du Rhône (1933-1974)*, thèse de doctorat, H. Morsel (dir.), université de Lyon-II, 1997, 3 vol.

GILLES B., (dir.), *Histoire des techniques*, Paris, Gallimard, 1978.

—, *La Sidérurgie française au XIXe siècle*, Genève, Droz, 1968.

GILLET M., *Les Charbonnages du Nord de la France au XIXe siècle*, Paris, Mouton, 1973.

GIRAULT R., LÉVY-LEBOYER M. (dir.), *Le Plan Marshall et le relèvement économique de l'Europe*, Paris, Comité pour l'histoire économique et financière de la France, 1993.

GODELIER É., *De la stratégie locale à la stratégie globale : la formation d'une identité de groupe chez Usinor (1948-1966)*, Paris, Éditions Rive droite, 2002.

GRELON A., *Les Ingénieurs de la crise*, Paris, Éditions de l'EHESS, 1986.

GRISET P., *Entreprise, technologie et souveraineté : les télécommunications transatlantiques de la France (XIXe-XXe siècle),* Paris, Éditions Rive droite, 1996.

GUESLIN A., *Histoire des crédits agricoles*, Paris, Économica, 1984, 2 vol.

GUESLIN A., GUILLAUME P. (dir.), *De la charité médiévale à la sécurité sociale. Économie de la protection sociale du Moyen Âge à l'époque contemporaine*, Paris, Éditions ouvrières, 1992.

GUIBERT B. *et al.*, « La mutation économique de la France. Du traité de Rome à la crise pétrolière », *Les Collections de l'INSEE*, t. 1, n° 173 ; t. 2, n° 174, 1975.

GUILLAUME J.-C., *L'Évolution des pratiques industrielles dans l'Auxerrois (1750-1914)*, thèse de doctorat en histoire, université de Paris-IV-Sorbonne, 1993.

HACHEZ F., *L'Aluminium français. L'invention d'un marché (1911-1983).* Paris, CNRS Éditions, 1999.

HAMON M., *Du soleil à la terre. Une histoire de Saint-Gobain*, Paris, Éditions J.-C. Lattès, 1988.

HAU M., *L'Industrialisation de l'Alsace (1803-1939)*, Strasbourg, Association des publications près les universités de Strasbourg, 1987.

HIRSCH J.-P., *Les Deux Rêves du commerce. Entreprise et institution dans la région lilloise, 1780-1860*, Paris, Éditions de l'EHESS, 1991.

HOUSSIAUX J., *Le Pouvoir de monopole*, Paris, Sirey, 1955.

JACQUEMET G., *Belleville au XIXe siècle. Du faubourg à la ville*, Paris, Éditions de l'EHESS, 1984.

JEANNENEY J.-N., *François de Wendel en République. L'argent et le pouvoir, 1914-1940*, Paris, Honoré Champion, 1975, 3 vol.

JOBERT P., MOSS M., *The Birth and Death of Companies. An Historical Perspective*, Carnforth-Park Ridge, The Parthenon Publishing Group, 1990.

LANDES D.-S., « French entrepreneurship and industrial growth in the nineteenth century », *Journal of Economic History*, t. IX/1, mai 1949, p. 45-61.

LANTHIER P., WATELET H., *Private Enterprise during Economic Crises. Tactics and Strategies. L'entreprise privée en période de crise économique. Tactiques et stratégies*, Ottawa, Éditions Legras, 1997.

LE ROUX M., *L'Entreprise et la recherche. Un siècle de recherche industrielle à Pechiney*, Paris, Éditions Rive droite, 1998.

LE ROUX M. (dir.), *Une génération de postiers raconte…*, Paris, Textuel, 1998.

LE ROUX M., OGER B. (dir.), « Pour une histoire de la Poste aux XIXe et XXe siècles. Guide du chercheur », *Apostille*, n° hors série hiver 1998-1999.

LEFEBVRE F., *Une famille d'industriels dans le département de la Somme de 1857 à la veille de la Seconde Guerre mondiale : les Saint. Approche d'une mentalité patronale*, thèse de doctorat, N.-J. Chaline (dir.), université de Picardie, 1998, 2 vol.

LEFÈVRE S., *Les Relations économiques franco-allemandes de 1945 à 1955. De l'occupation à la coopération*, Paris, Comité pour l'histoire économique et financière de la France, 1998.

LENHOF J.-L., *Quand se tissait la ville des classes moyennes : impasses industrielles et réussites sociales. Alençon au XIXe siècle*, D. Barjot (dir.), thèse de doctorat, université de Caen, 1998.

LEPAGE S., *La Direction des finances extérieures du ministère des Finances de 1946 à 1953. Les années fondatrices ou le magistère Guillaume Guindey*, thèse de l'École nationale des Chartes, D. Barjot (dir.), Paris, 1997.

LEQUIN Y., VANDECASTEELE S. (dir.), *L'Usine et le bureau. Itinéraires sociaux et industriels dans l'entreprise, XIXe-XXe siècle*, Lyon, Presses universitaires de Lyon, 1990.

LESCENT-GILES I., *La Sidérurgie britannique (1815-1880). Les Midlands et le sud du Pays de Galles : étude comparée*, F. Crouzet (dir.), thèse de l'université de Paris-IV-Sorbonne, 1992, 3 vol.

LESCURE M., *Les Banques, l'État et l'immobilier en France à l'époque contemporaine (1820-1940)*, Paris, Éditions de l'EHESS, 1982.

—, *PME et croissance économique. L'expérience française des années 1920*, Paris, Économica, 1996.

LÉVY-LEBOYER M., BOURGUIGNON F., *L'Économie française au XIXe siècle. Analyse microéconomique*, Paris, Économica, 1985.

LÉVY-LEBOYER M., CASANOVA J.-C. (dir.), *Entre l'État et le Marché. L'économie française des années 1880 à nos jours*, Paris, Gallimard, 1991.

LÉVY-LEBOYER M., MORSEL H., *Histoire de l'électricité en France. 1919-1946*, t. 2, Paris, Fayard, 1994.

MARCO L., *La Montée des faillites en France, XIXe-XXe siècle*, Paris, L'Harmattan, 1989.

MARGAIRAZ M., *L'État, les finances et l'économie. Histoire d'une conversion (1932-1952)*, Paris, Comité pour l'histoire économique et financière de la France, 1991.

MARSEILLE J., *Les Performances des entreprises françaises au XXe siècle*, Paris, Le Monde Éditions, 1995.

MERGER M., CARRERAS A., GIUNTINI A., *Les Réseaux européens transnationaux (XIXe-XXe siècle) : quels enjeux ?*, Nantes, Ouest Éditions, 1995.

MEULEAU M., *Les HEC et l'évolution du management en France (1881-années 1980)*, thèse de doctorat d'histoire, université de Paris-X-Nanterre, 1992.

—, *Des pionniers en Extrême-Orient. Histoire de la banque d'Indochine (1875-1975)*, Paris, Fayard, 1990.

MIOCHE P., *La Sidérurgie et l'État en France des années 1940 aux années 1960*, thèse de doctorat d'État, université de Paris-IV-Sorbonne, 1992.

MORSEL H., *Histoire de l'électricité en France, 1946-1987*, t. 3. Paris, Fayard, 1996.

MOUTET A., *Les Logiques de l'entreprise. La rationalisation dans l'industrie française de l'entre-deux-guerres*, Paris, Éditions de l'EHESS, 1997.

NEÏERTZ N., *La Coordination des transports en France de 1918 à nos jours*, Paris, Comité pour l'histoire économique et financière de la France, 1999.

OMNÈS C., *Ouvrières parisiennes. Marchés du travail et trajectoires professionnelles au XXe siècle*, Paris, Éditions de l'EHESS, 1997.

PAGE J.-P. (dir.), *Le Profil économique de la France. Structures et tendances*, Paris, La Documentation française, 1975.

PICARD J.-F., BELTRAN A., BUNGENER M., *Histoire de l'EDF. Comment se sont prises les décisions de 1946 à nos jours ?*, Paris, Dunod, 1985.

ROSANVALLON P., *L'État en France de 1789 à nos jours*, Paris, Le Seuil, 1990.

ROUSSO H., *La Planification en crise (1965-1985)*, Paris, CNRS Éditions, 1987.

—, *De Monnet à Massé*, Paris, CNRS Éditions, 1986.

RUFFAT M., *175 ans d'industrie pharmaceutique française. Histoire de Synthélabo*, Paris, La Découverte, 1996.

RUFFAT M., CALONI-LAGUERRE E.-U., *L'UAP et l'histoire de l'assurance*, Paris, Éditions J.-C. Lattès, 1990.

SCHWEITZER S., *André Citroën (1878-1935). Le risque et le défi*, Paris, Fayard, 1992.

SOUTOU G.-H., *L'Or et le Sang. Les buts de guerre économiques de la Première Guerre mondiale,* Paris, Fayard, 1989.

THELOT C., MARCHAND O., *Le Travail en France (1800-2000)*, Paris, Nathan, 1997.

TORRÈS F., HAMON M., *Mémoires d'avenir. L'histoire dans l'entreprise*, Paris, Économica, 1987.

TRÉDÉ-BOULMER M. (dir.), *Le Financement de l'industrie électrique en France*, Paris, PUF, 1994.

VARASCHIN D., *La Société lyonnaise des forces motrices du Rhône (1892-1946). Du service public à la nationalisation*, thèse de doctorat, P. Cayez (dir.), université de Grenoble-II, 1995, 3 vol.

VERLEY P., *L'Échelle du monde. Essai sur l'industrialisation de l'Occident*, Paris, Gallimard, 1997.

—, « Les sociétés d'agents de change parisiens aux XIXe et XXe siècles », *Études et documents*, I, Comité pour l'histoire économique et financière de la France, 1989, p. 127-147.

VERNUS P., *Bianchini Ferier, fabricant de soieries à Lyon (1888-1973)*, thèse de doctorat, Y. Lequin (dir.), université de Lyon-II, 1997, 3 vol.

VUILLERMOT C., *L'Énergie industrielle : d'une société à un groupe de production-distribution d'énergie électrique (1906-1945)*, thèse de doctorat, C.-I. Brelot (dir.), université de Lyon-II, 1997, 5 vol.

WILLIOT J.-P., *L'Industrie du gaz à Paris au XIXe siècle (1799-1905). La mise en place d'un puissant monopole*, thèse de doctorat, F. Caron (dir.), université de Paris-IV-Sorbonne, 1995, 3 vol.

WORONOFF (D.), *Histoire de l'industrie en France du XVIe siècle à nos jours*, Paris, Le Seuil, 1996.

Les archives de La Poste : un gisement documentaire en formation

Anne Burnel [1]

Le service national des archives est un organe récent, créé à la fin de l'année 1997, et rattaché au directeur du cabinet de la présidence et de la direction générale. Une des premières missions qui lui ont été confiées consiste à dresser le bilan de la situation de l'archivage dans les différentes entités de La Poste et à proposer une organisation susceptible de répondre aux besoins exprimés par les services. Dans ce contexte, il s'agira ici non de présenter une organisation en fonctionnement, mais d'exposer la problématique archivistique à laquelle est confrontée l'entreprise et les pistes à explorer pour résoudre les questions posées. Car la situation des archives de La Poste est à la mesure de l'une des plus grandes entreprises françaises.

Endiguer le flot

La multiplication du papier et de ses succédanés (microformes et fichiers informatiques) favorisée par les photocopieurs et autres outils de propagation de l'information est une donnée de notre temps, indissociable, semble-t-il, du développement des activités tertiaires. Bien qu'entreprise de main-d'œuvre, La Poste compte nombre de services dont les activités de conception ou de gestion génèrent une production documentaire abondante. Ces archives produites quotidiennement par l'opérateur public né de la réforme de 1990 viennent s'ajouter à celles générées par l'activité postale du temps de l'administration des PTT et encore en partie utilisées dans le cadre du travail quotidien. Je pense, par exemple, aux dossiers de personnel des anciens fonctionnaires des PTT largement représentés dans les effectifs actuels ou encore aux archives

1. Conservateur du patrimoine, responsable du service national des archives de La Poste.

liées à la gestion du parc immobilier qui a été transféré à La Poste lors de la réforme. À ces séries volumineuses, il faut encore ajouter l'arriéré accumulé dans les salles d'archives des services, notamment dans les locaux des directions départementales, structures dont la longévité a permis l'entassement de dossiers remontant parfois à la fin du XIXe siècle. Un audit mené en 1996 par une société d'ingénierie documentaire a évalué à 1 330 kilomètres linéaires la masse des archives stockées par l'ensemble des services de La Poste et à 106 kilomètres linéaires leur accroissement annuel total.

Pour maîtriser ce gigantesque stock d'archives alimenté par un flot croissant de documents, il est indispensable de lancer une politique d'élimination drastique d'envergure nationale. Une collecte particulièrement sélective doit être mise en place afin de ne conserver en préarchivage que les documents pour lesquels existe un besoin impératif de conservation, que celui-ci soit technique ou juridique. Le passage en archives définitives doit être encore plus sévère avec, comme objectif, la conservation de 1,5 à 3 % seulement de la production documentaire totale, soit le minimum préconisé par la doctrine archivistique contemporaine.

Cette stratégie d'élimination doit cependant être menée avec discernement afin de conserver les fonds les plus riches sur le plan historique et touchant à des aspects variés de l'activité de l'entreprise. Ce droit de vie et de mort sur les documents qui incombe aux archivistes est lourd de conséquences puisqu'il oriente jusqu'à un certain point les problématiques des historiens de demain qui les bâtiront, en partie du moins, sur les sources dont ils pourront disposer. Ce scrupule doit néanmoins être tempéré par le fait qu'il est préférable de consulter un faible volume d'archives correctement identifiées que de contempler impuissamment un immense vrac sans clef d'accès.

Instaurer une cohérence

Une autre difficulté à laquelle se heurte l'archiviste réside dans le réseau extrêmement dense et étendu des établissements postaux. Présente en tout point du territoire national, dotée d'une structure pyramidale à cinq niveaux, La Poste multiplie les gisements d'archives, corollaires de son réseau. Il s'agit alors de suivre les descentes et les remontées d'informations le long de la chaîne hiérarchique et fonctionnelle qui relie le siège aux établissements et de repérer les nœuds où se constituent les dossiers les plus complets ou les plus synthétiques. D'une manière générale, l'objectif recherché est de supprimer les séries parallèles et les dossiers redondants et d'échantillonner les archives d'exécution dont la conservation intégrale ne se justifie pas si on la ramène au coût qu'induirait un tel stockage. Les critères d'échantillonnage élaborés par la direction des Archives de France doivent d'ailleurs être adaptés aux spécificités présentées par la production documentaire de l'entreprise et des négociations doivent être engagées avec les services d'archives départementales, destinataires, à terme, des fonds d'intérêt local de La Poste.

Enfin, l'organisation interne de La Poste n'est pas figée. Tant au siège qu'en région, les structures et les missions évoluent au gré des contraintes économiques et structurelles (la création relativement récente des huit délégations territoriales en est un exemple). Le traitement des archives doit s'adapter à ces changements qui affectent directement la constitution des fonds.

S'ADAPTER À LA VARIÉTÉ

Dans leur contenu, les archives sécrétées par La Poste présentent une belle variété, qui illustre les deux activités majeures de l'entreprise, courrier et services financiers, mais également les nombreuses fonctions transversales indispensables au bon fonctionnement de l'entreprise. À côté des archives proprement dites, La Poste génère aussi une documentation réglementaire et professionnelle abondante dont il faut archiver des exemplaires à titre de référence technique, puis historique.

L'hétérogénéité des formes (documents imprimés ou manuscrits, plans, affiches) et des supports (photographies, bandes magnétiques, disques optiques numériques) pose des difficultés d'ordre matériel et juridique. Pour le rangement et les normes climatiques, les conditions de conservation doivent être adaptées à cette diversité. Sur le plan juridique, il s'agit de trouver un compromis équilibré entre les exigences légales ou jurisprudentielles posées par le droit de la preuve et le coût d'un stockage de documents dont la durée de conservation oscille de 5 à 75 ans selon la nature des pièces. Le risque juridique et donc financier doit notamment être mesuré à l'aune du coût comparé de la conservation des dossiers papier ou du transfert de l'information sur un support de substitution.

En tout état de cause, la prudence s'impose dans un domaine où le recul nous fait défaut pour garantir la pérennité de certains supports et où l'accès à l'information n'est plus direct, mais tributaire d'outils intermédiaires dont l'évolution rapide et souvent non réversible risque de rendre cet accès extrêmement coûteux. Les archivistes conseillent donc pour le moment la prudence et se méfient des sirènes de la technologie.

UNE DEMANDE DIVERSIFIÉE

Les archives sont conservées en vue d'être exploitées par des utilisateurs tant présents que futurs et répondent à des demandes dont la finalité change au fil du temps. Je dois rappeler, au risque de me faire honnir par les historiens, que les archives sont avant tout produites par et pour l'entreprise, qui a besoin de garder une trace de son activité pour guider son action, et non pour les chercheurs qui font un usage détourné de ces documents.

Le besoin d'archives au sein de l'entreprise est de trois types. Sa production documentaire constitue pour elle un véritable patrimoine au sens financier du terme. En effet, les dossiers constitués au sein de l'entreprise reflètent l'activité de production et de gestion des services et contiennent des documents qui peuvent faire preuve en cas de contentieux et garantir les droits de La Poste face à un fournisseur ou à un client. Cet archivage est d'autant plus nécessaire aujourd'hui que la législation française et européenne devient de plus en plus draconienne en matière de conservation et de communication de pièces justificatives. Plus profondément encore, ces archives renferment la matière grise de l'entreprise et son savoir-faire. C'est cette information documentaire qu'il est indispensable de sauvegarder et de mettre à la disposition des postiers afin qu'ils puissent s'y référer en cas de besoin.

En effet, les entreprises se nourrissent de plus en plus d'informations et La Poste, comme ses concurrentes, doit pouvoir puiser dans le stock d'archives qu'elle s'est constitué pour retrouver rapidement et efficacement l'information nécessaire au bon moment. Le service d'archives doit s'efforcer de faire connaître aux agents cette fonction de stockage et de recherche de savoir qui justifie en grande partie son existence.

Enfin, les archives constituent aussi une source inépuisable de documents, écrits ou figurés, pour alimenter une campagne de valorisation de l'image de La Poste aux yeux du public aujourd'hui ses clients. En interne, elles peuvent contribuer à susciter, par le biais de publications ou d'expositions, un sentiment d'appartenance à l'entreprise, à renforcer une culture d'entreprise dont l'ancrage dans le passé n'est pas contradictoire avec un effort de modernisation et de compétitivité.

Mais au fur et à mesure que les besoins de l'entreprise s'estompent, surgissent les demandes de consultation émanant d'un public externe d'historiens, universitaires ou amateurs, et aussi de sociologues ou de généalogistes. Nous avons, dans ce livre, un aperçu de la variété et du dynamisme de cette demande de sources. En fonction de leurs perspectives de recherche, ces chercheurs privilégieront les documents de direction retraçant le choix d'une stratégie ou la mise au point d'un nouveau processus de production, des dossiers de personnel ou encore une série chronologique d'états comptables.

Si cette demande d'archives intervient en second lieu, elle n'est pas la moindre et l'archiviste doit la garder présente à l'esprit quand il traite les versements des services producteurs. Heureusement, il est souvent possible de concilier le point de vue des dirigeants et celui des chercheurs, les uns comme les autres étant généralement en quête aujourd'hui de sources rapidement exploitables et à haute densité d'informations.

Un traitement archivistique nécessairement professionnel

Pour relever efficacement de tels défis, la clef du succès réside dans une mise en œuvre sans faille de toutes les étapes du traitement archivistique, avec des efforts particuliers portant sur les archives intermédiaires. Cette phase dans le cycle des documents se situe entre la fin de leur utilisation courante par les bureaux et l'extinction de toute valeur autre qu'historique donnant le signal du versement aux Archives nationales ou départementales, la durée de cet âge intermédiaire étant bien sûr variable d'un type de dossier à l'autre. En amont de cette chaîne de traitement, les versements devraient être accompagnés de bordereaux de versement rédigés avec toute la rigueur de l'analyse archivistique et, en aval, les tris et les classements devraient être suivis de l'élaboration d'instruments de recherche conformes aux normes archivistiques internationales.

Il apparaît que La Poste dispose d'un patrimoine documentaire d'une richesse incalculable, en partie hérité de son passé de grande administration et en partie fruit de son intense activité actuelle. Mais si elle veut échapper à l'engorgement qui la menace, il est indispensable de mettre en place une politique rationnelle d'archivage afin d'éviter aussi bien les entassements anarchiques que les destructions sauvages. Pour cela, dynamisme et professionnalisme doivent succéder à l'inertie et aux empilements de dossiers dont on risquerait d'attendre fort longtemps l'hypothétique décantation.

Dans ce cadre, la mission du service des archives consiste à répondre aux besoins documentaires et juridiques des agents avec, en arrière-plan, le souci de faire œuvre de mémorisation en participant à la constitution du patrimoine écrit et audiovisuel de l'entreprise. Engrangées, triées, classées, inventoriées, ces archives qui conservent la trace de l'action et du savoir-faire des postiers pourront alors être mises à leur disposition avant de nourrir la recherche historique.

Du XVIe au XIXe siècle

Négoce et circulation de l'information au début de l'époque moderne

Jacques Bottin [1]

Je voudrais ici envisager l'histoire de la Poste sous un angle particulier, rarement abordé : celui de la circulation de l'information dans la sphère des échanges commerciaux à longue distance durant la haute époque moderne. Un thème peu évoqué par les approches classiques menées du côté français – à commencer par l'œuvre pionnière d'Eugène Vaillé – surtout orientées vers la genèse de l'institution postale en rapport avec la construction de l'État moderne [2]. On comprend très bien les raisons d'un tel état de fait : remonter le temps améliore rarement la qualité des sources et sortir du cadre institutionnel ou réglementaire ne facilite pas la collecte des données. Inverser le point de vue en regardant du côté des utilisateurs n'ouvre pas à coup sûr des chemins plus aisés. Intéressés au contenu de la correspondance commerciale, les historiens de l'échange n'ont d'ailleurs pas porté non plus une attention particulière à une question pourtant cruciale pour le bon fonctionnement de l'entreprise, et que les lettres marchandes évoquent de manière récurrente : celle d'un acheminement sûr et régulier de l'information. Élément d'appréciation à prendre en compte au premier chef dans l'optique d'une « modernisation » des pratiques commerciales dans le cours de l'Ancien Régime.

Les archives qui nous sont parvenues d'un certain nombre d'entreprises commerciales attestent le rôle central que tenait la circulation « immatérielle » dans la gestion de leurs affaires. Sans qu'il soit nécessaire de s'appesantir sur le caractère exceptionnel des 135 000 lettres conservées dans le

1. Directeur de recherche au CNRS, Institut d'histoire moderne et contemporaine.

2. L'ouvrage de P. Sardella, *Nouvelles et spéculations à Venise au début du XVIe siècle*, Paris, Armand Colin, 1948, « Cahiers des Annales, 1 », s'intéresse surtout à la diffusion de nouvelles sortant de l'ordinaire. Depuis, contribution riche et éclairante de P. Jeannin, « La diffusion de l'information », in *Fiere e mercati nella integrazione delle economie europee, secc. XIII-XVIII*. Atti della XXXIIa Settimana di Studi [Istituto F. Datini], S. Cavaciocchi (dir.), Florence, Le Monnier, 2001, p. 231-262.

fonds de la firme Datini de Prato au XIVe siècle, rappelons les 50 000 lettres actuellement conservées qui furent envoyées à la firme Ruiz de Valladolid, en une quarantaine d'années, avec un point culminant atteint en 1579 de près de 7 lettres par jour en moyenne (2 620 au total). Venues en majorité d'Espagne mais aussi de France, du Portugal, des Pays-Bas, d'Italie et même d'Allemagne, elles témoignent de l'ampleur et du volume de la correspondance enregistrée au sein d'une firme certes importante, mais qui n'était pas de tout premier plan. Peut-être moins connues, les correspondances conservées de la firme Marescoe-David de Londres représentent, elles aussi, un impressionnant corpus de 18 000 lettres expédiées notamment vers Amsterdam, Hambourg, La Rochelle, Rouen et Livourne ou reçues de ces places[3]. On pourrait sans mal solliciter bien d'autres fonds de moindre ampleur pour illustrer l'utilité et l'importance stratégiques de la correspondance dans la bonne marche des affaires commerciales.

Il n'y a pas lieu de s'étendre ici trop longuement sur ce point. Rappelons simplement que la circulation de lettres remplissait trois fonctions essentielles : communiquer des informations, transmettre des instructions sur la vente ou l'achat de marchandises et leur acheminement éventuel, donner des ordres relatifs à des paiements ou à des transferts de fonds. Des échanges « immatériels » aussi indispensables à des relations entre partenaires de même rang qu'à des rapports plus hiérarchisés entre des acteurs de niveau sensiblement différent. Sans oublier que des notations à caractère privé ou personnel pouvaient y interférer avec le contenu professionnel ou technique.

Quoi qu'il en soit, connaître les prix des marchandises ou les cours du change, être au courant de l'emballement ou du refroidissement des affaires, prévisible ou constaté sur d'autres places, intervenait dans la prise de décision des opérateurs. À une condition : que cette circulation de l'information bénéficie d'un minimum de fiabilité et de régularité.

Toutes ces raisons expliquent l'intérêt manifesté au sein du milieu marchand pour le fonctionnement des services mis sur pied par les monarchies ou créés à l'initiative des villes, des consulats ou des universités. Publié à Rome par Giovanni del Herba en 1563, puis réédité à Venise dès 1576 et à Lyon en 1588 et 1598, l'*Itinerario delle poste per diverse parte del mondo* devait répondre à de telles préoccupations. Reprenant plus ou moins fidèlement ce texte sous le titre *The Post of the World*, Richard Rowlands lui donne une orientation commerciale encore plus affirmée. Ces ouvrages ne sont pourtant que les premiers d'une lignée vouée à un réel succès : paru en 1608 à

---

3. Remarquable analyse de ce corpus et édition critique d'une sélection de ces lettres par H. Roseveare, *Markets and Merchants of the Late Seventeenth Century. The Marescoe-David Letters 1668-1680*, Londres, The British Academy, 1987, « Records of Social and Economic History, New Series : XII ».

Milan, le *Nuove itinerario delle poste per tutto il mondo* d'Ottavio Codogno ne connaît pas moins de quatre éditions vénitiennes entre 1611 et 1666 ! Le développement du titre ne cache d'ailleurs pas quel lectorat l'auteur souhaitait toucher au-delà des milieux gouvernementaux : celui des gens d'Église et des *marchands*[4].

Cette diffusion par l'imprimé d'une connaissance livresque sur les conditions de circulation des lettres dans un public élargi, notamment aux acteurs du commerce, s'inscrit en réalité dans une évolution globale de beaucoup plus longue durée qui touchait à la fois circulation des marchandises et diffusion de l'information.

Bien que la genèse en soit mal connue, on peut rappeler quelques étapes qui marquent l'ancienneté du processus – à Venise le premier Ordinaire, avec départ du courrier à jours fixes, fonctionna dès la seconde moitié du XIIIe siècle[5]. Les villes de négoce italiennes furent les premières à organiser la circulation de l'information. Au milieu du XIVe siècle, une *scarsella* hebdomadaire permettait le transfert des lettres de Florence à Avignon. Dès le XVe siècle, les *consulados* espagnols de Barcelone et de Burgos et le consulat de Bruges, aux Pays-Bas, avaient à leur tour développé des services comparables. En 1563, c'est à l'initiative des marchands qu'était établie une liaison entre Burgos et Séville[6]. Que des firmes commerciales impliquées dans le transport de marchandises aient vu dans l'acheminement du courrier l'occasion d'élargir leur champ d'action n'a donc rien de vraiment surprenant. Surtout si l'on se souvient que le courrier pouvait s'accompagner – on l'observe avec la firme Datini – d'échantillons commerciaux.

Ce n'est pourtant pas au transport de lettres marchandes ou plus généralement privées que les Tassis – groupe familial qui constitua l'entreprise la plus précocement spécialisée dans des fonctions postales – doivent le décollage qui fit d'eux pour longtemps le groupe d'opérateurs le plus puissant dans ce secteur.

---

4. Souligné par moi. L'ouvrage est déclaré « *utilissimo non solo a Segretarii de' Principi, ma à Religiosi et à Mercanti* » : cf. notice dans J. Hoock et P. Jeannin, *Ars Mercatoria, Handbücher und Traktate für den Gebrauch des Kaufmanns 1470-1820. Eine analitische Bibliographie*, Paderborn-Munich-Vienne-Zurich, F. Schöningh, t. II, 1600-1700, p. 129.

5. Cf., notamment sur le développement d'une poste d'État au Moyen Âge, Marco Pozza, « Lettere pubbliche e servizio postale di stato a Venezia nei secoli XII-XV », in S. Gasparri, G. Levi et P. Moro (éd.), *Venezia. Itinirerari per la storia della città*, Bologne, Il Mulino, 1997, p. 113-130.

6. H. Lapeyre, *Une famille de marchands : les Ruiz. Contribution à l'étude du commerce entre la France et l'Espagne au temps de Philippe II*, Paris, Armand Colin, 1955, « EPHE, Affaires et gens d'affaires, VIII », p. 159 sq. Du côté français, aussi, des services de transport du courrier s'organisent autour des premières tentatives de création des juridictions consulaires, par exemple à Toulouse en 1549 : cf. É. Coornaert, *Les Français et le commerce international à Anvers. Fin du XVe-XVIe siècle*, Paris, Marcel Rivière et Cie, 1961, 2 vol., II, p. 94.

Originaires de Bergame et Cornello, ces marchands spécialisés dans la *condotta* au XVe siècle bénéficièrent surtout de circonstances politiques favorables[7]. La liaison entre les états de la maison d'Autriche et l'héritage bourguignon des Pays-Bas, leur offrit un champ d'action élargi que l'accession de Charles Quint à la couronne d'Espagne puis à l'Empire devait encore dilater. Les contrats passés par l'empereur Maximilien avec Janetto et Francisco de Tassis pour qu'ils assurent la liaison Innsbruck-Bruxelles ou Malines et les monopoles obtenus par Franz de Tassis en 1505, puis en 1516, sont autant de jalons qui marquent les débuts de la firme[8]. La présence, plus tard dans le siècle et bien après, de différents membres de la famille occupant les fonctions de maître de postes à Milan, puis à Rome, Valladolid et Augsbourg[9], témoigne de l'extension de leur emprise aux différents états de l'Empire et à l'Espagne. Bien documentés, leurs parcours offrent une base à la réflexion sur l'évolution de l'entreprise postale au début de l'époque moderne.

Assez tôt, en effet, la redevance accordée aux Tassis fut réduite. Non sans raison : loin de réserver leurs services au monarque, ils ne se privaient pas de les monnayer aussi à une clientèle privée. C'est notamment du côté des grandes firmes marchandes d'Augsbourg – Welser ou Fugger – qu'il faut chercher cette nouvelle source de revenus. Elle explique la réorientation des réseaux postaux autour des centres nerveux de l'économie et de la finance – Augsbourg et Anvers – au détriment des capitales politiques. Si l'esprit du monopole était donc détourné de l'intérieur, les plaintes exprimées notamment par Jean-Baptiste de Tassis en 1537 contre l'activité, selon lui déloyale, des messageries privées utilisées par la nation génoise à Anvers, rendent compte à la fois de la propension de la firme à élargir ses activités et d'une situation, assez fréquente sur les grandes places, de concurrence généralisée. Le cas de Léonard de Tassis, privé en 1577 de son monopole à Anvers par les états généraux après la prise de la ville par les protestants, révèle de ce point

---

7. Étude générale récente sur cette firme par W. Behringer, *Thurn und Taxis. Die Geschichte ihrer Post und ihrer Unternehmen*, Munich-Zurich, Piper, 1990.

8. Pour une rapide mise au point sur cette ascension, J. A. Van Houtte, « Les postes dans les Pays-Bas méridionaux sous la maîtrise des Tour et Tassis », in *De post van Turn und Taxis (La Poste des Tour et Tassis) 1489-1794*, Bruxelles, Archives générales du Royaume, 1992, p. 11-21, et W. Behringer, « Brussel, centrum van het internationale postnet », *ibid.*, p. 21-42.

9. J. A. Van Houtte, art. cité. Pour une chronologie plus tardive, nombreuses références dans M. Van Durme, *Les Archives générales de Simancas et l'histoire de la Belgique (IXe-XIXe siècles)*, Bruxelles, Palais des Académies, 4 vol., 1964-1990 (Publications de la Commission royale d'histoire in-4°) ; références notamment à Simon de Tassis, *« correo mayor »* à Milan en 1538-1550, à la succession d'Antonio dans les mêmes fonctions à Rome, à son frère Juan Antonio (1563), t. III, *passim.*

de vue que les Tassis n'avaient pu unifier l'offre des services de messageries, qui procédait d'initiatives multiples, « publiques » ou « privées ». À côté des formes traditionnelles, liées à la ville ou à des groupes professionnels particuliers qui avaient pu se maintenir, s'imposait notamment l'émergence de nouveaux acteurs individuels peut-être moins brillants mais tout aussi dynamiques que les Tassis.

Lorsqu'il retrace l'activité de Pierre Thierri, entrepreneur issu d'une famille de transporteurs de Fontenay-le-Château, Émile Coornaert dessine l'une de ces figures, assez comparable au fond à celle des Tassis à leurs débuts[10]. Au roulage sur de grandes distances, notre homme était en effet capable d'allier des opérations commerciales et financières articulées sur Anvers, Paris et jusqu'à Bâle, Genève, Florence, Naples et, au-delà de l'espace continental, en Angleterre. On comprend du même coup que Thierri ait rapidement manifesté de l'intérêt pour le transport de lettres. Doté d'une stature très au-dessus de la moyenne, il émerge d'un milieu d'acteurs plus modestes ou beaucoup plus mal connus qui constituent pourtant un véritable objet d'histoire. Personnages aux facettes multiples, ces promoteurs de services postaux du premier âge moderne se laissent difficilement cerner. Tel « messager ordinaire » d'Anvers recouvre des créances en Lorraine et Bourgogne et se transforme à l'occasion en marchand de verre. En charge de la liaison Rouen-Anvers, Cardin Fumisson est en même temps marchand cartier, tout comme à Douai le libraire Louis Elzevier est aussi messager de sa ville en 1574-1579[11].

Au total, à côté de quelques grandes routes de circulation où la Poste était organisée, contrôlée ou concédée à de grands opérateurs par le pouvoir monarchique, l'acheminement des lettres empruntait une multiplicité de filières relevant d'initiatives locales – villes, juridictions, groupes professionnels – qui restent encore largement à repérer et à décrire, et sur le statut desquelles – public ou privé – il est difficile de trancher. C'est souvent dans les périodes de réorganisation que l'on en perçoit l'existence : ainsi apprend-on à Rouen après les guerres de religion – moment où se rétablissent des relations plus structurées avec les partenaires commerciaux – que le nombre de messagers réguliers pour Middelbourg devait être réduit de trois avant les guerres à deux par semaine. Identifier ceux qui, à différents niveaux, participaient à ces filières ou à ces réseaux de circulation de l'information – ou ceux, plus importants, qui avaient la capacité de les organiser – constitue certainement une piste féconde sinon facile à explorer. Parmi ces entrepreneurs, pour la plupart obscurs, la documentation permet parfois d'entrevoir de plus gros poissons, comme le marchand d'origine niçoise Isoardo Capelo.

10. É. Coornaert, *Les Français..., op. cit.*, I, notamment p. 266-268.
11. *Ibid.*, II, p. 92 sq.

Ses fonctions de « maître de poste » d'Urrugne à la fin des années 1570 ne paraissent pas absolument établies[12]. On sait, en revanche, que, marchand-banquier à Paris, il servait déjà d'intermédiaire pour les marchands portugais et espagnols à ce moment[13] et qu'il fut un relais essentiel pour les firmes espagnoles rouennaises après la suppression de l'Ordinaire entre Rouen et l'Espagne en 1587[14]. C'est aussi par lui que, dans les années 1585-1590, passait la majorité des courriers espagnols entre Londres et Madrid ou les états autrichiens[15], sans que l'on sache très bien comment évaluer le poids économique d'une fonction à l'évidence très politique.

Plus généralement, on bute, faute d'analyses de cas serrées, sur cette question du statut des acteurs. Car leur action, souvent décrite comme relevant de l'initiative privée, ne s'analyse pas si aisément en fait, et certainement pas en termes contemporains. L'expression de « courtier juré » que l'on rencontre souvent dans la documentation française du XVIe siècle indique quel sens il faut donner à l'appréciation d'entreprise privée portée par Émile Coornaert à propos de messagers de Rouen à Calais et de Rouen à Anvers : celui d'une concession du pouvoir monarchique à l'initiative privée sanctionnée par l'achat d'un office[16].

Incitation à dépasser un point de vue administratif sur lequel on peut douter qu'il y ait encore beaucoup à dire, les quelques observations qui précèdent voudraient surtout souligner la nécessité d'une histoire de la Poste qui voie plus large que celle des postes royales. Une histoire qui, surtout, donne toute sa place à la diversité des acteurs et des entreprises grâce auxquelles s'est peu à peu construite une véritable économie de l'information. Adopter le regard des utilisateurs est essentiel de ce point de vue : soucieux du résultat, ils s'interrogeaient en permanence sur le fonctionnement du système et la capacité de ses agents, et ils permettent aussi d'en mesurer l'efficacité réelle.

---

12. *Calendar of Letters and State Papers Relating to Spanish Affairs of the Reign of Elizabeth* (par la suite *CSP, Spanish, Elizabeth*) ; vol. III : *1580-1586*, éd. par Martin S. A. Hume, Londres, HMSO, 1896, p. 640n.

13. J. G. Da Silva, *Marchandises et finances,* t. II et III : *Lettres de Lisbonne, 1563-1578.* Paris, Armand Colin, « EPHE, Affaires et gens d'affaires, XIV », 1959-1961, II, notamment p. 312, p. 327, p. 348.

14. H. Lapeyre, *Une famille de marchands..., op. cit.*, p. 169-170.

15. Différentes allusions à son rôle d'intermédiaire dans les lettres d'Antonio de Guaras et de Bernardino de Mendoza envoyées de Londres à Don Juan d'Autriche, *CSP, Spanish, Elizabeth* ; vol. II : *1568-1579*, éd. par Martin S. A. Hume, Londres, HSMO, 1894, notamment p. 539, p. 544, p. 640, vol. III : *1580-1586*, p. 640, n° 496 où il est fait état de la difficulté d'envoyer des lettres secrètement, à moins que Capelo n'obtienne *« the management of the posts »*.

16. É. Coornaert, *Les Français..., op. cit.,* II, p. 93.

Les sources commerciales, on l'a souligné, ne manquent pas d'éléments utilisables à l'appui d'une histoire de l'information. Secondaires par rapport au contenu du texte, certains indices ont souvent été négligés [17]. Ainsi des dates de réception discrètement inscrites au dos des lettres marchandes par leurs destinataires. Recueillies pour des séries suffisantes de lettres sur des parcours variés, elles renseignent sur la régularité des courriers et ses variations en fonction des trajets et de la conjoncture. Établies à partir des séries de lettres de Lisbonne adressées à la firme Ruiz [18] publiées par José Gentil Da Silva et des correspondances reçues de Séville et Rouen par la firme Van Immerseel d'Anvers [19], les quelques analyses qui suivent en donneront un premier aperçu.

Les données disponibles montrent que si l'irrégularité du courrier restait indéniable à la fin du XVIe siècle et au début du XVIIe, elle ne variait pas seulement en fonction de la distance : si l'acheminement n'était guère meilleur entre Lisbonne et Medina del Campo qu'entre Séville et Anvers (fig. 2 et 3), les lettres circulaient mieux, en revanche, entre Medina et Lyon. C'est donc plutôt du côté de l'économie générale des échanges terrestres qu'il faut chercher des explications. Les voies les plus fréquentées – sans doute les plus anciennement rodées – étaient aussi les plus sûres et les plus rapides, comme le montre la régularité de la liaison Rouen-Anvers (fig. 1) et la fréquence du passage par Lyon des courriers d'Espagne [20]. La plus grande régularité des échanges était ici clairement liée, au XVIe siècle, à la nécessité de communication entre deux des plus importantes foires de change d'Europe [21]. Observation confirmée, *a contrario*, par l'émergence de Madrid dans les années 1600, une fois consommé le déclin

17. Exception notable avec F. Melis, « Intensita e regolarità nella diffusione dell'informazione economica generale nel Mediterraneo e in Occidente alla fine del Medievo », in *Histoire économique du monde méditerranéen 1450-1650, Mélanges en l'honneur de Fernand Braudel*, t. I, Toulouse, Privat, 1973, p. 389-424.

18. J. G. Da Silva, *Marchandises et finances*, *op. cit.*, pour la période 1567-1575, et *Stratégie des affaires à Lisbonne entre 1595 et 1607. Lettres marchandes des Rodrigues d'Evora et Veiga*, Paris, Armand Colin, 1956, « EPHE, Affaires et gens d'affaires, IX », pour la période 1601-1603.

19. Éléments conservés aux Archives communales d'Anvers (Stadarchiv Antwerpen, par la suite SAA) dans le fonds des faillites (Insolvente Boedelskammer, par la suite IB).

20. L'option lyonnaise fonctionne tout autant en sens inverse : en 1569, c'est par cette voie que le Rouennais Quintanadoines envoie ses lettres à Simon Ruiz, cf. H. Lapeyre, *Une famille de marchands…*, *op. cit.*, p. 169.

21. Certaines lettres marchandes sont sur ce point sans équivoque : l'absence de messagers à Lisbonne en août 1570 est directement liée à l'interdiction de tirer en change de la place, cf. J. G. Da Silva, *Marchandise et finances*, *op. cit.*, II, p. 15 (1er août 1570).

des foires de Medina. Cet exemple souligne l'existence de véritables nœuds de redistribution – c'est de Medina qu'était réorienté le courrier de Lisbonne vers Tolède, Séville ou les Pays-Bas, rôle assuré aussi, en Espagne, par Burgos[22] et de plus en plus souvent par Madrid, mais aussi par Lyon ou Anvers[23] – et de flux privilégiés qui, se ramifiant en circulations secondaires ou périphériques, autorisent déjà à parler de réseaux.

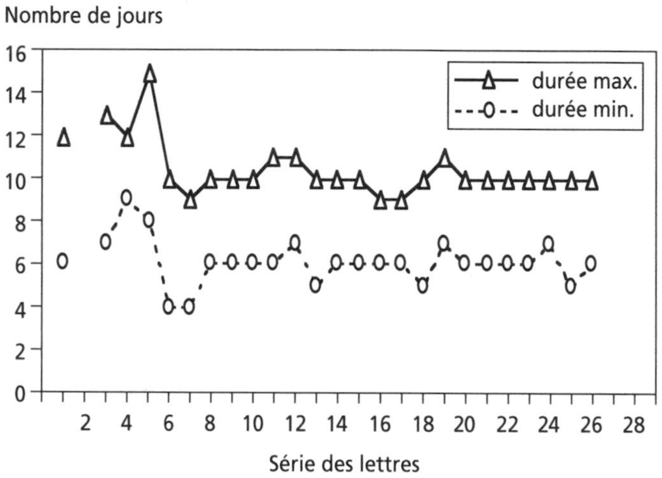

FIGURE 1. Rouen-Anvers : temps d'acheminement en jours (série continue de lettres, 1600-1603)[23].

22. C'est toute la question des lettres « incloses » qu'un destinataire lointain était chargé de réexpédier. Écrivant à Simon Ruiz à Medina del Campo, Antonio Gomes y joint une lettre destinée aux Pays-Bas et une autre à Tolède. Une troisième lettre pour Anvers passera par Madrid ou Burgos *« por que vaya com brevedad »*, J. G. Da Silva, *Marchandises et finances, op. cit,* III, p. 93 (21 octobre 1575).

23. Comme Burgos ou Medina, Anvers servait de point de redistribution des lettres incloses destinées à des marchands localisés au nord des Pays-Bas méridionaux (notamment Amsterdam et Hambourg) que les acteurs situés en Espagne joignaient à leurs courriers.

24. En l'absence d'une date de réception, il est possible, dans le cas de cette correspondance particulièrement suivie et régulière, de proposer une fourchette entre une durée maximale (écart entre la date de la dernière lettre reçue et l'envoi de la réponse) et un écart minimal (entre deux lettres successives).

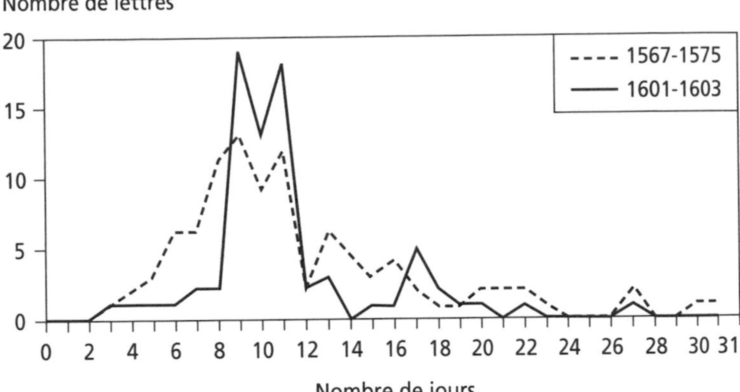

FIGURE 2. Lettres entre Lisbonne et Medina del Campo.

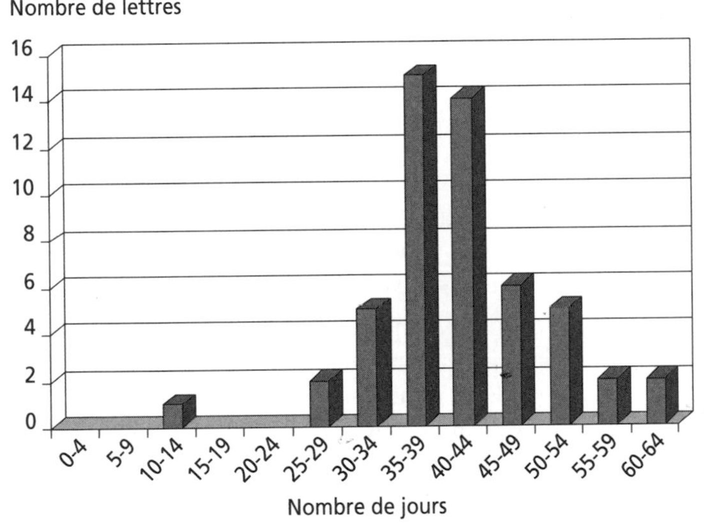

FIGURE 3. Lettres entre Séville et Anvers (1598-1606).

L'importance croissante prise par la circulation des lettres dans l'évolution de la pratique commerciale, avec la densification des échanges et le développement du papier de change, conduit naturellement à s'interroger sur l'efficacité globale du « système ». Question qui n'est pas sans importance si l'on considère, ce qui resterait à prouver, que la régularité de l'information pouvait influer de manière déterminante sur la réussite des acteurs commerciaux. Il convient, de ce point de vue, de distinguer entre les processus lents de régularisation de la circulation des courriers – qui ont pu toucher en profondeur la diffusion de l'information – et les soubresauts, résultant notamment des guerres, qui pouvaient désorganiser ponctuellement mais sérieusement le système.

On a peu de raisons de douter d'un réel progrès dans la très longue durée. Entre le début du XVIe siècle et la fin du XVIIe, le rôle des messageries et des postes royales n'a fait que s'accroître et les services rendus ont gagné en régularité, tandis que la circulation maritime bénéficiait, malgré les guerres, de plus de sécurité. Mais avant le milieu du XVIIe siècle ? À défaut d'une mesure précise, l'analyse des correspondances commerciales fournit les indices indirects d'un progrès dans la régularité et la sécurité des courriers. En effet, la confiance limitée qu'entretenaient les acteurs sur ce point les poussait souvent à faire précéder leur lettre de la copie du texte de leur précédente missive. La pratique est encore observable pour des courriers expédiés de Hambourg à Anvers vers 1600[25]. Elle ne l'est plus du tout dans les correspondances Schröder et Schyler dans le dernier tiers du XVIIIe siècle, entre Hambourg, Lübeck et Bordeaux[26]. Déjà, dans les années 1670-1680, les Marescoe-David de Londres n'utilisent plus ce procédé, même pour des relations lointaines comme Cadix ou Livourne[27]. Quand a-t-il disparu ? Une étude plus fine pourrait peut-être, en décortiquant le contenu des lettres, faire apparaître les étapes du processus, grâce à l'analyse des formules intermédiaires où l'on reprenait de manière plus ou moins précise, dans le texte d'une correspondance, les éléments de celle qui l'avait précédée.

Cette observation sur une dynamique de progrès ne doit pas faire oublier l'existence de dénivellations importantes dans la régularité de l'information suivant les espaces considérés à un moment donné. Pour des trajets courts comme la liaison entre Rouen et Anvers, on tablait sur une circulation plus régulière et plus fréquente des lettres et sur le fait qu'une perte n'aurait représenté qu'un retard minime de quelques jours. C'est pourquoi, dès avant 1600, on n'éprouvait nul besoin de reprendre en détail les éléments des missives antérieures. Ensemble documentaire suffisamment dense et couvrant un espace géographique assez large au tournant des XVIe-XVIIe siècles, les correspondances reçues par les Van Immerseel d'Anvers ne laissent aucun doute sur ce point.

---

25. SAA, IB 205/1-2 (1601-1603), lettres d'Inglebert Borrekens de Hambourg à Jan van Immerseel d'Anvers.

26. P. Jeannin, « La clientèle étrangère de la maison Schröder et Schyler de Bordeaux », *Bulletin du centre d'histoire des espaces atlantiques*, nouv. sér., 3, 1987, p. 21-85.

27. H. Roseveare, *Markets and Merchants*..., *op. cit.*

C'est notamment du côté de la péninsule ibérique que la régularité de l'information faisait défaut. La copie presque systématique de leurs précédentes lettres par les acteurs situés à Séville, leurs allusions répétées à des retards du courrier dans les deux sens, confirment les observations réalisées sur le temps d'acheminement des lettres. Se plaignant à son correspondant anversois des retards de l'Ordinaire, le Rouennais Jehan de Cahaignes illustre clairement ce fait, le 23 janvier 1601. Sans nouvelles d'Anvers entre le 21 août et le 8 décembre précédents, il a reçu depuis, de Séville, trois lettres dont deux sont précédées de copies[28]. On retrouve donc là des traits déjà évoqués dans la correspondance Ruiz, notamment par Antonio Gomes, de Lisbonne, lorsqu'à la fin des années 1570, il évoquait la « *grande vellaqueria que hazen aqui los oficiales de casa del coreo* »[29] et qu'il proposait de recourir à l'Extraordinaire par voie de Madrid plutôt que d'envoyer les lettres par Medina. Mise en cause qui touchait donc en priorité au désordre des offices postaux, où le courrier s'accumulait souvent plusieurs semaines avant de partir[30], et à la concurrence entre service du public et service du monarque[31].

Il ne semble pas, en fin de compte, que les perturbations d'origine exogène – les guerres – aient eu des effets plus sévères sur la bonne marche du système que ces dysfonctionnements que l'on pourrait qualifier de structurels. D'abord, parce qu'à l'exception de la période ligueuse, les guerres civiles n'interrompirent jamais durablement le passage des courriers. Surtout, parce que les acteurs commerciaux surent prendre les initiatives nécessaires pour limiter les risques de perte d'une lettre. Notamment en multipliant les voies d'acheminement pour les informations importantes : en 1568, le grand marchand castillan de Rouen Antoine de Quintanadoines expédia le même courrier par Paris, par Nantes et par mer[32]. Huit ans plus tard, dans une autre période troublée, Antonio Gomes envoyait sa lettre aux Ruiz de Nantes par mer et une copie par voie de terre[33]. Si d'une

---

28. SAA, IB 205/2. Réception d'une lettre du 6 novembre (en fait copie) avec « augment » du 8 décembre, copie de lettre du 8 décembre et « augment » du 13 décembre. S'y ajoute une lettre du 16 décembre continuée le 22.

29. J. G. Da Silva, *Marchandises et finances, op. cit.*, II, p. 245, 21 décembre 1576.

30. Exemple de ce type avec le courrier Luzon qui part de Lisbonne avec 2 mois de courrier accumulé, J. G. Da Silva, *ibid.*, II, p. 252 (25 janvier 1577) et le commentaire d'Antonio Gomes le 28 mars 1577 : « *muchas vezes pensamos que nuestras cartas son partidas y ellas estan aqui hun mes* », *ibid.*, p. 275.

31. J. G. Da Silva, *ibid.*, 21 décembre 1576 ; le courrier Francisco Luzzon retenu pour le service du roi contraint Gomes à expédier ses lettres par un navire partant pour la Biscaye.

32. H. Lapeyre, *Une famille de marchands..., op. cit.*, p. 169.

33. J. G. Da Silva, *Marchandises et finances, op. cit.*, II, p. 210 (14 octobre 1576).

manière générale, la voie maritime paraissait plus risquée[34], et se trouvait donc moins utilisée, tout était affaire de circonstances. En pleine guerre dans le Sud-Ouest du royaume en 1575-1576, les correspondants des Ruiz à Rouen et Paris utilisaient davantage le relais nantais pour y confier le courrier aux maîtres de navires. On valorisait plutôt, dans ce cas, la sécurité, l'utilisation de ces circuits mixtes ne jouant pas toujours en faveur de la rapidité d'acheminement des nouvelles[35].

En dehors des correspondances commerciales conservées, on dispose de peu d'indices fiables pour mesurer, même sur quelques décennies, l'amélioration éventuelle du système en termes de vitesse et de régularité. Les protêts de lettres de change auraient pu fournir des éléments précis quantifiables[36], à condition d'être assez nombreux et répartis sur une durée suffisamment longue pour valider la démonstration. Tentée à partir des sources notariales rouennaises, sur une liaison, Anvers-Rouen, où la circulation des lettres fut précocement rodée, l'analyse n'a pas débouché sur des observations probantes, sans doute en raison de données trop peu nombreuses avant les années 1580 et d'une durée d'observation trop brève. Elle mériterait d'être reprise sur des bases plus larges.

Finalement, tout en soulignant le fonctionnement encore chaotique de ces postes, et leur médiocre régularité, des indices qualitatifs leur reconnaissent au moins une certaine garantie de sécurité. L'utilisation de la Poste officielle par le porteur d'une lettre d'Antonio Gomes, de Lisbonne, destinée à Anvers, le Flamand « Pero Zuarte », est présentée sous cet angle en septembre 1576. Mais notre homme sera accompagné d'un courrier professionnel réputé pour sa sûreté[37]. Solution très souvent évoquée dans les correspondances de Lisbonne, et qui tient au fait que la fonction du courrier n'était pas seulement de transporter de l'information. On a déjà observé que la nécessité d'acheminer avant échéance les lettres de change explique probablement la plus grande régularité du courrier sur certains trajets (Medina-Lyon ou

---

34. D'après le marchand français installé à Séville Antoine Damiens, il vaut mieux utiliser la voie terrestre « respect de la risque qu'il y a, craingnant que sy [les lettres] estoient prinses, que ne vous prejudisiast » (lettre à son correspondant à Anvers, Jan van Immerseel, date SAA, IB 205/2).

35. En avril 1577, le courrier Luzon, parti par voie de terre jusqu'à Bilbao, est contraint d'y attendre le départ de la flotte pour Nantes (J. G. Da Silva, *Marchandises et finances, op. cit.*, p. 277).

36. Les lettres étaient en général présentées dès réception pour acceptation ; leur date de rédaction étant connue, on peut donc facilement en déduire leur temps de trajet.

37. J. G. Da Silva, *Marchandises et finances, op. cit.*, III, p. 243 (24 septembre 1576). Zuarte sera accompagné de Juan de Vera.

Venise-Anvers par exemple)[38]. Plus largement le recours au service des postes pour le transport de valeurs – numéraire, perles et pierres – semble avoir été souvent pratiqué en concurrence avec les voies commerciales classiques. Les lettres adressées aux Ruiz en témoignent : en 1578, les courriers envoyés par Thomas Ximenes à des correspondants parisiens sont accompagnés de paquets, de « *cochonillos* » ou de « *bisallos* »[39] et le courrier Juan de Satelar, « *persona de confianza* », se voit en diverses occasions confier des paquets pour Anvers ou Paris. Les messagers étaient même souvent utilisés pour opérer des paiements en espèces sur d'autres places, qu'il s'agît d'acquitter des droits ou le fret d'un maître de navire[40]. De telles pratiques n'étaient pas sans risques, comme le montrent à Venise les procurations passées par les victimes des vols commis en route sur les « messagers ». Explicites sur les contenus, les descriptifs attestent le transport de coffrets de perles[41], de diamants et d'espèces[42] par ceux qui étaient en charge du courrier. Ce type d'opération était vraiment courant. Au point qu'un auteur de manuel de comptabilité, bon observateur des réalités commerciales de la place de Rouen au début du XVIIe siècle, le Flamand Michel Van Damme, en donne quelques exemples dans son ouvrage[43].

Ce réalisme que l'on retrouve dans un certain nombre d'autres manuels de la fin du XVIe siècle et des premières décennies du XVIIe pousse d'ailleurs

38. Dans un même ordre d'idée, l'usance normale des lettres (en général un mois entre les places du nord-ouest de l'Europe) doublait avec les places plus éloignées du sud de l'Italie ou d'Espagne.

39. J. G. Da Silva, *Marchandises et finances, op. cit.*, III, p. 357, p. 358, p. 376, etc.

40. Plusieurs cas de ce type à Rouen, dans les années 1570. Le 5 août 1575, par exemple, le messager ordinaire de Bruges, Bertrand Mariage, se voit confier par le marchand Jehan de Palme Castille 800 livres t. en écus pistollets et petite monnaie pour payer les droits de plusieurs navires arrivés à Calais (Arch. dép. de Seine-Maritime, tabellionage de Rouen, 2E1/511).

41. Cf., par exemple, la procuration passée pour recouvrement de deux coffrets de perles envoyés par les Capponi de Florence à Carlo Helman de Venise, volés entre Bologne et Ferrare : W. Brulez, *Marchands flamands à Venise I (1568-1605)*, Bruxelles-Rome, Academia Belgica, 1965, « Études d'histoire économique et sociale publiées par l'Institut historique belge de Rome, VI », n° 1458 (29 octobre 1603).

42. Envoi par un joaillier de 6 diamants et de 4 sequins de Venise à Milan par courrier, W. Brulez et G. Devos, *Marchands flamands à Venise II (1606-1621)*, Bruxelles-Rome, Institut historique belge de Rome, 1986, « Études d'histoire économique et sociale publiées par l'Institut historique belge de Rome, IX », n° 2994 (19 octobre 1613).

43. Réception à Rouen d'un paquet contenant 1 150 perles acheminées par le messager Antoine Le Canu de Séville : M. Van Damme, *La maniere la plus industrieuse et suptille...* Rouen, Nicolas Dugort, 1606, Journal A, articles 163 et 359.

les auteurs, de Barthélemy de Renterghem[44] à Jean Coutereels[45] en passant par Van Damme[46], à comptabiliser scrupuleusement le coût des ports de lettres. Une telle observation n'est pas seulement anecdotique. Reflet des pratiques de leur temps, les manuels rappellent ainsi l'importance prise par cette économie de l'information dans l'activité commerciale. Un constat évidemment inséparable de la dilatation géographique des affaires qui a gagné, par-delà quelques firmes italiennes tôt parvenues au firmament, des couches beaucoup plus larges d'acteurs commerciaux moins brillants, qui entretenaient un mouvement plus diffus et plus régulier de marchandises et de fonds. S'il ne faut pas tomber dans le cliché en exagérant la sédentarisation d'un milieu dont l'étendue de la diaspora anversoise montre qu'il est resté très mobile encore après 1600, il est clair qu'entre 1550 et le milieu du siècle suivant, la progression du commerce de commission, le recours accru à la lettre de change dans l'espace international et « national » ont contribué à un gonflement de la circulation de papiers porteurs d'ordres ou d'informations de toutes sortes.

Pour l'entreprise commerciale, cette circulation qui est aussi un élément de modernisation avait un coût que les manuels explicitent en termes comptables. S'est-il accru avec le temps ? On peut le supposer. La contrepartie que pouvaient espérer les opérateurs – et qu'il faudrait pouvoir évaluer plus précisément – tient dans l'amélioration, au cours du temps, des services rendus et notamment de leur régularité. La question touche au rapport qui s'est établi, dans la longue durée, entre l'offre d'une multiplicité de services et d'acteurs privés et celle des postes royales. De ce point de vue, les quelques perspectives ouvertes ici vont plutôt dans le sens d'une antériorité des initiatives venues de groupes professionnels, de villes ou de juridictions, comme l'affirmait Henri Lapeyre contre Eugène Vaillé. Mais il semble bien que dans le rapport public/privé, aux frontières tardivement assez floues, les états aient progressivement pris le pas et garanti une circulation plus sûre de l'information, sans pour autant assurer que les décisions prises par les acteurs en aient été plus rationnelles.

---

44. Instruction nouvelle pour tenir le livre de compte, Anvers, 1592 ; comptabilisation aux articles 180 et 193 de ports de lettres pour le « voyage de Francfort avec Heldevier » et pour le « voyage de Londres, mon compte à part ».

45. *L'art solide de livre de comptes*..., Middelbourg, 1623, parmi d'autres écritures semblables, le Journal au 31 juillet 1621, présente le règlement d'une opération d'expédition de seigle à Venise qui prend en compte les frais de courtage et port de lettres pour 6 ducats 14. 5 (cf. aussi le Memorial, même date, p. 19).

46. *La manière la plus industrieuses*..., Journal A, article 832. M. Van Damme y comptabilise la totalité des ports de lettres au compte profits et pertes.

Des sources à l'histoire : l'exemple des maîtres de poste au XVIIIe siècle

Patrick Marchand [1]

Au vu de la grande profusion de titres relatifs à l'histoire de la Poste dont rend compte la bibliographie de Pierre Nougaret [2], on pourrait conclure que le terrain a été largement fouillé. Il n'en est rien. Entre la production marcophilique et la littérature de vulgarisation, les ouvrages de fond sont peu représentés dans l'historiographie postale française. Quelques pionniers ont cependant exploré un peu plus en profondeur dans les années 1940. C'est Eugène Vaillé, ancien bibliothécaire au ministère des PTT et premier conservateur du musée de la Poste, qui a creusé les sillons d'une histoire générale des postes [3]. C'est aussi Henri Cavaillès, professeur à la faculté des lettres de Bordeaux, qui, en 1947, a écrit une histoire de la route française [4]. Mais leur approche demeurait plus administrative que sociale. À la lumière de ces travaux, Louis Trénard, professeur à la faculté des Lettres de Lille, appelait de ses vœux une histoire sociale des maîtres de poste. Voici ce qu'il déclarait dans la communication qu'il présenta en 1959, à l'occasion d'un colloque [5] : « Il faudrait étudier ce groupe social de 1 500 membres, suivre quelques dynasties comme celle des Bertin, qui resta, à Roye, en Picardie, de 1697 à 1870. »

---

1. Doctorant, université de Paris-I ; responsable des expositions, musée de La Poste.
2. P. Nougaret, *Bibliographie critique de l'histoire postale française*, Montpellier, 1970, 2 t.
3. E. Vaillé, *Histoire générale des postes françaises*, Paris, PUF, 1947-1955, 7 vol.
4. H. Cavaillès, *La Route française, son histoire, sa fonction ; étude de géographie humaine*, Paris, 1946.
5. *Les Routes de France, des origines à nos jours*, Actes du colloque, Paris, 1959.

On s'interrogera donc sur la façon dont l'histoire de la Poste, saisie dans son rôle de transporteur, a été traitée jusqu'à aujourd'hui. Quels développements nouveaux peut-on attendre de l'examen de sources jusqu'alors négligées ou ignorées ?

L'HISTORIOGRAPHIE DES POSTES DE L'ANCIEN RÉGIME

On peut distinguer trois grands courants dans l'historiographie postale française, déterminés tant par l'origine ou la qualité de leurs auteurs que par le but qu'ils poursuivent.

L'histoire généalogique des « postiers »

L'historiographie postale est riche de monographies issues de recherches généalogiques. On trouve ces études dans les bulletins d'associations de généalogistes, dans les revues de sociétés savantes, de sociétés archéologiques ou d'antiquaires. Ces œuvres d'érudition locale ne sont pas toujours de bonne qualité. Les horizons sont souvent bornés à la représentation arborescente des lignages. Mais certains auteurs, mus par la quête des ancêtres, ont dépassé le cadre de l'état civil pour mettre en lumière l'objet de leur étude. Dans cette optique, la curiosité primo-familiale s'étendait à l'exploitation de sources autres que généalogiques. Parmi les chercheurs, citons Madeleine Fouché, descendante d'une famille de maîtres de poste, les Petit, dont elle a relevé les premières traces en 1582 et qu'elle a suivis jusqu'en 1856 : elle est l'auteur d'un petit livre bien documenté[6]. Le principal apport de ce type d'études est la reproduction de documents exhumés des dépôts d'archives publiques et familiales.

Les grandes vulgarisations

Produites depuis la fin du XIXe siècle, de grandes vulgarisations nous livrent une histoire légère et parfois frivole des postes. Parmi les auteurs se prêtant à cet exercice, citons Arthur de Rothschild qui a signé, en 1873, une *Histoire de la Poste aux lettres depuis ses origines les plus anciennes jusqu'à nos jours.* L'ouvrage fut un succès de librairie et fit l'objet de rééditions successives. Dans l'avant-propos de la quatrième édition (1879), Arthur de Rothschild affichait son ambition. Il s'agissait, pour lui, de « transformer un ouvrage de recherches historiques pures en un livre de vulgarisation et d'instruction populaire ». Précisons qu'il fut l'un des plus grands collectionneurs de

---

6. M. Fouché, *La Poste aux chevaux de Paris et ses maîtres de poste à travers les siècles*, Paris, Nouvelles éditions latines, 1975.

timbres-poste de la fin du XIXe siècle. Si la déviation philatélique est à l'origine de toute une littérature de vulgarisation, la nostalgie est un sentiment qui a conduit certains auteurs comme Henri d'Alméras à cultiver ce genre littéraire. Le titre de son livre *Au bon vieux temps des diligences*[7] est éloquent à cet égard. Il y est question des professionnels de la route – maîtres de poste, conducteurs, postillons –, des guides de voyage ainsi que des véhicules, mais aussi des « auberges sanglantes » auxquelles l'auteur réserve un chapitre.

Une approche frontale : l'histoire administrative de la Poste

Parallèlement aux narrations d'un Rothschild et d'un Alméras, il s'est trouvé des auteurs, issus de l'institution mais n'agissant pas sur commande, qui ont produit des travaux de première importance. Jacques Lequien de la Neufville, directeur des postes de Bordeaux, publie, en 1708, *L'Origine des postes chez les Anciens et chez les Modernes*. Son ouvrage se présente comme une collection d'édits, d'ordonnances et d'arrêts relatifs à l'histoire générale des postes. La lecture en est fondamentale pour appréhender l'organisation et le fonctionnement des postes sous l'Ancien Régime.

Le XIXe siècle a été marqué par le livre d'Alexis Belloc, *Les Postes françaises. Recherches historiques sur leurs origines, leur développement, leur législation* (1886). Belloc a occupé, au sein de l'administration des Postes, la fonction de sous-chef de bureau au cabinet du ministre des Postes et des Télégraphes. Son œuvre se présente comme un traité de près de huit cents pages qui réunit les grands textes de l'histoire des postes, reproduit les discussions des parlementaires, préalables aux réformes, puise chez les mémorialistes de quoi vivifier le récit. Mais Lequien de la Neufville et Belloc n'ont pas fait véritablement œuvre d'historien. En revanche, au milieu du XXe siècle, Eugène Vaillé a largement contribué à la connaissance historique. Son *Histoire générale des postes françaises* a d'ailleurs été saluée par Lucien Febvre en 1955 dans les *Annales*.

L'histoire des postes, et en particulier l'histoire du transport public, n'a pas jusqu'à maintenant attiré le regard des universitaires. À l'exception d'Henri Cavaillès et des universitaires réunis autour de Georges Livet dans les années 1950, peu de volontés se sont manifestées pour éclairer cette partie de notre histoire. Encore leur approche restait-elle périphérique. En traitant de l'histoire technique de la route, on dérivait sur les usagers et les utilisateurs et on abordait ainsi une histoire sociale du transport. À noter, cependant, une thèse soutenue en 1997 par Théotiste Gohier sur la Poste aux chevaux en Côtes-du-Nord.

7. H. d'Alméras, *Au bon vieux temps des diligences*, Paris, Albin Michel, 1931.

Histoire familiale, histoire réglementaire des postes sont autant de couches sédimentaires qui peuvent préparer le terrain à une histoire économique et sociale de la Poste. C'est en exploitant d'autres sources que l'on éclairera d'un nouveau jour cette histoire qu'il convient de développer désormais. Et c'est aussi à travers l'étude de groupes sociaux, tel celui des maîtres de poste, que se révèle, au sens photographique du terme, tout un monde, celui du transport public et par là même la vie de relations sous l'Ancien Régime.

Autres approches, autres sources

Une porte d'accès : le groupe professionnel

Les maîtres de poste occupent une place centrale dans l'organisation des transports publics et, à ce titre, constituent un objet d'observation privilégié. L'approche microhistorique débouche ici sur une mise en perspective macrohistorique en permettant l'analyse de politique générale des gouvernants en matière de transport public. L'évolution du réseau des relais de poste révèle les intentions stratégiques, les tensions territoriales en même temps qu'elle définit des priorités économiques. Observer de près les maîtres de poste, à travers les actes de la vie privée et sociale, c'est tisser une histoire qui franchit les frontières du groupe et nourrit une histoire de la civilisation. Par exemple, un inventaire après décès, une vente de fonds d'exploitation fournissent des renseignements sur le nombre des chevaux affectés au service de la Poste. Constitués en série, ces actes nous informent sur la densité de la circulation de telle ou telle autre route, à telle époque.

Les sources

Pour le XVIIIe siècle, les archives produites par l'administration des Postes sont relativement lacunaires. On dispose des registres des délibérations du Conseil des postes de 1738 (date de mise en place d'un nouveau groupe de financiers à la tête des postes) à 1863, mais il faut déplorer l'absence des archives du Contrôle général (seuls quelques cartons existent aux Archives nationales) ainsi que celles du ministère des Finances qui auraient pu être d'un grand secours pour l'historien.

Les livres de poste, listes des relais de poste, édités annuellement de 1708 à 1859, permettent de suivre pas à pas l'évolution du réseau des routes de poste. Cette évolution constitue un véritable marqueur de la politique royale et dessine une géographie des relations commerciales de la France de l'Ancien Régime.

Au cours de ces recherches sur les maîtres de poste, nous avons retrouvé plus d'un millier de baux de messagerie de la fin du XVIIe siècle à la Révolution qui permettront de cartographier une France des transporteurs et, par là même, une France des échanges. On pourra encore cartographier l'intensité de la vie de relations grâce à quelque huit cents traités de transport des dépêches retrouvés dans les archives. En effet, ces contrats passés entre la ferme des Postes et des entrepreneurs indiquent des vitesses d'acheminement ainsi que des périodicités (avant la création du service journalier en 1828).

Les archives notariales, au prix de patientes recherches, ont livré des renseignements de première importance sur les familles de transporteurs et, parmi elles, les maîtres de poste. On sait suffisamment la richesse documentaire des inventaires après décès, des contrats de mariage, des actes de succession et de mutation de propriété pour qu'il soit inutile d'insister sur tout le profit que pourra en tirer l'historien.

Au terme de ce rapide survol sur les voies d'accès à l'histoire du XVIIIe siècle postal, il apparaît qu'une étude apparemment circonscrite à un groupe « socioprofessionnel » (au risque d'être anachronique) ouvre des perspectives inattendues. L'étude des maîtres de poste fournit le fil conducteur d'une histoire générale non seulement des postes mais de la nation tout entière. Cette réflexion vaut également pour les directeurs des postes (ancêtres des receveurs) qui tiennent les bureaux de poste. Une étude comparable menée actuellement sur les maîtres de poste pourrait être envisagée. Une cartographie est réalisable à partir des dictionnaires des postes, tel celui de Guyot édité en 1754, réédité en 1787. Toutefois, il n'est guère possible aujourd'hui, de saisir le trafic postal au XVIIIe siècle en raison de l'absence de statistiques et de moyens de les reconstituer. Mais une idée du volume des correspondances échangées pourrait être éventuellement donnée grâce au niveau des cautionnements que doivent fournir les directeurs des postes à l'Administration pour garantir leur gestion. L'histoire de la Poste aux lettres est à écrire.

Poste et territoires : évolution de la pensée du territoire chez les administrateurs de la Poste au XIXe siècle [1]

Nicolas VERDIER [2]

La comparaison des territoires, d'un point de vue géographique, ne varie qu'en fonction de quelques éléments : le point, la ligne et l'étendue, et les différents assemblages qu'il est possible d'opérer en les combinant. À partir de ces éléments, deux représentations du territoire sont possibles : le maillage et le treillage. Le maillage est une répartition du territoire en une série de sous-ensembles : ce sont par exemple les circonscriptions administratives. Le treillage est une mise en relation de points par des lignes : ce sont par exemple des réseaux de transport. Ces deux représentations sont souvent opposées dans des modèles où l'une exclut l'autre. L'hypothèse que nous allons suivre ici est que cette opposition est toute théorique et qu'à sa place, il vaut mieux rechercher l'évolution de ces deux registres en fonction des contextes et selon les échelles auxquelles les questions sont posées.

L'évolution de l'action sur le territoire de l'administration des Postes est sur ce point un objet d'étude particulièrement riche. Contrairement à l'étude d'événements qui favorisent tel ou tel modèle, son inscription dans une durée plus longue permet d'observer les évolutions des conceptions

1. Les réflexions menées et les fonds utilisés pour ce texte ont été en partie repris dans le deuxième chapitre de notre thèse qui compare les conceptions du territoire relatives aux administrations des Postes et des Finances : *Penser le territoire au XIXe siècle, le cas des aménagements des départements de l'Eure et de la Seine-Inférieure*, thèse de l'EHESS, J. Revel (dir.), Paris, 1999, p. 117-230.

2. Chargé de recherche à l'UMR 8504, géographie-cités/E.H.Go.

des différents acteurs qui s'expriment à son propos. Nous nous limiterons ici aux décideurs et plus précisément aux auteurs de la législation et des normes servant à définir l'aménagement du territoire dans le but d'améliorer l'efficacité du service.

LA QUESTION DU TARIF POSTAL

L'étude de la détermination de la somme à acquitter pour qu'une lettre soit transportée par la Poste entre son expéditeur et son destinataire est une méthode efficace pour comprendre l'évolution de la conception du territoire chez les députés amenés à légiférer sur la question des tarifs postaux.

Cinq systèmes de tarifications se succèdent entre le début de la Révolution et 1848, le dernier étant celui que nous connaissons[3]. Le premier tarif, qui nous intéresse ici, est fixé en 1759 dans le bail de la ferme des Postes ; il lie le prix à payer à la distance parcourue par la lettre suivant l'itinéraire que celle-ci aura suivi entre son point de départ et son point d'arrivée. Ce tarif est en fait extrêmement complexe et compte plus de 500 000 possibilités. En 1787, la perception de cette difficulté entraîne la ferme à créer un « tableau géographique[4] » permettant à chaque utilisateur d'éviter les erreurs ; du fait de la Révolution, il ne sera jamais publié[5]. Le 17 août 1791, Dauchy, au nom du « Comité réuni des contributions publiques, d'agriculture, de commerce et des finances », décrit le tarif de 1759 comme étant « si obscur, si irrégulier qu'il n'est aucun homme en France qui puisse en savoir les nombreuses combinaisons[6] ». La simplification est donc le but avoué de la réforme.

La réforme des Postes n'est pas pour autant la première préoccupation de l'Assemblée nationale[7] ; celle-ci règle, par une série de mesures d'urgences, les difficultés nées de l'abrogation des privilèges des maîtres de poste lors de la nuit du 4 août[8]. Il faut attendre le 26 août 1790 pour que le Directoire des Postes soit chargé « de la rectification du tarif de 1759 [...] de l'organisation de la Poste aux lettres et des postes aux chevaux, aux nouveaux établissements

---

3. Sur cette question voir J.-P. Alexandre, L. Barbey, J.-F. Brun *et al*, *Les Tarifs postaux français, 1627-1969*, Le Havre, 1982.

4. Arch. nat. F90 20 198 « Tarifs ».

5. Sur ce point, voir P. Nougaret, G. Arbellot, « Prix de la lettre postée à Paris et à Orléans, 1759-1792 », in G. Arbellot, B. Lepetit (éd.), *Atlas de la Révolution française. Routes et communications*, Paris, EHESS, 1987, p. 80.

6. Séance du 17 août 1791, *Moniteur universel*, 18 août 1791, p. 421-423.

7. Arch. nat. F90* 20 010, « Registre des délibérations de l'administration des Postes », délibération du 30 mars 1789 prolongeant la ferme de La Poste jusqu'en 1791. Cette décision sera suivie malgré les autres bouleversements des débuts de la Révolution.

8. Sur cette question, voir G. Laumon, *Histoire des postes en Lorraine*, Nancy, Presses universitaires de Nancy, 1989, p. 200-212.

relatifs à la division du Royaume[9] » (cependant, l'administration des Postes continue à utiliser jusqu'au 17 août 1791 l'ancien découpage administratif[10]).

La relation entre l'opération de découpage du territoire et la réforme postale est donc annoncée dès son origine, alors que les opérations de découpage sont, du moins dans leurs grandes lignes, terminées depuis le début du mois de février 1790[11]. Ce découpage a été opéré, au moins pour certains départements, selon une méthode géométrique qui consistait à attribuer, sur la carte, des étendues à des centres, choisis *a priori* (la technique correspondant approximativement à celle qui sera plus tard formalisée par le géographe allemand Thiessen). Il s'agissait donc d'une pensée du territoire particulièrement abstraite se rapprochant de la proposition effectuée par Sieyès et Thouret, telle qu'elle est présentée devant l'Assemblée nationale le 29 septembre 1789[12].

La réforme postale reprend cette conception du territoire ; pour déterminer le tarif de la Poste aux lettres, Dauchy propose, le 17 août 1791, au nom du Comité réuni des contributions publiques..., « d'établir un point central dans chaque département. Les distances seront calculées de point central en point central, à vol d'oiseau et à raison de 2 283 toises par lieue ». Le décret du 17 août précise que « la taxe des lettres et paquets partant ou arrivant d'un des départements pour un autre sera la même pour tous les bureaux des deux départements [et qu'il sera dressé] un tableau divisé en six mille huit cent quatre-vingt-neuf cases [83 X 83]. Chaque case indiquera la distance d'un point central d'un département à un autre[13]... ».

9. Cité par A. Belloc, *Les Postes françaises. Recherches historiques sur leurs origines, leur développement, leur législation*, Paris, Librairie Firmin Didot, 1886, p. 276-279.

10. L'exemple du traitement des directeurs des bureaux de poste, révisé annuellement, montre que, jusqu'en août 1791, ce sont les anciens découpages qui prévalent (Arch. nat. F90* 20 010 à 20 013).

11. Le décret concernant la formation du département de l'Eure date du 1er février 1790, celui concernant la Seine-Inférieure date du 3 février. Sur ce point, voir C. Lamarre, « Le nombre des districts dans la formation territoriale des départements, réponse à la diversité de l'armature urbaine des régions françaises », G. Chianéa, R. Chagny et J.-W. Dereymez (éd.), *Le Département, hier, aujourd'hui, demain, de la province à la région, de la centralisation à la décentralisation*, Grenoble, Presses universitaires de Grenoble, 1994, p. 23-33 ; Plus généralement, sur la division du territoire par les constituants, M.-V. Ozouf-Marignier, *La Formation des départements, la représentation du territoire français à la fin du XVIIIe siècle*, Paris, EHESS, 2e éd., 1992.

12. Cette proposition consistait dans un découpage du territoire français en 81 carrés et reprenait un projet de cadastre de Robert de Hesseln.

13. Séance du 17 août 1791, *Moniteur universel*, 18 août 1791, *loc. cit.* ; Arch. nat. NN 22-2, Hérisson, *Carte générale de France à l'usage des postes aux lettres en exécution du décret de l'Assemblée nationale du 17 août 1791*, Paris, 1791 ; Arch. nat. NN 22-15, *Tableau général des distances et des taxes respectives des 83 départements*, 1791 ; Tarif général des Postes ou Tableaux de la taxe respective des 83 départements du royaume en application du décret de l'Assemblée nationale du 17 août 1791, BnF, Ms Fr 14 306.

Dans les départements ce « tableau de six mille huit cent quatre-vingt-neuf cases » est remplacé, comme à Rouen par un *Ordre général du départ des postes aux lettres de Rouen pour tous les départements de la République* qui donne une liste des bureaux avec la somme à payer pour chacun d'eux, tout en précisant leur département d'appartenance [14]. Le prix à payer pour une lettre augmente en fonction de la distance : il est divisé « en trois progressions, ayant l'une pour extrêmes vingt et quatre-vingts lieues, et pour raison arithmétique dix, l'autre pour extrêmes quatre-vingt et cent vingt, avec une raison arithmétique de vingt, et la troisième pour premier terme cent vingt, pour *maximum* cent quatre-vingt et une raison de trente [15] ».

À l'intérieur du département, le tarif est de quatre sous et pour les arrondissements postaux [16] de petite poste [17], comme à Rouen, par exemple, où la petite poste comprend une quarantaine de communes en plus de Rouen au moment de la Révolution [18], la taxe est de deux sous dans la ville et de trois dans le reste de la circonscription [19].

Le fait que le décret de 1791 fasse de la Poste une administration rattachée au ministère des Contributions publiques, à quoi s'ajoutent la transformation de son personnel en fonctionnaires rendant des comptes au directeur des finances et l'emploi du mot « taxe » pour définir le tarif, permettent d'ancrer la Poste dans une logique territoriale différente de celle de 1759.

---

14. *Ordre général du départ des postes aux lettres de Rouen pour tous les départements de la République*, Rouen, Gauttier, 1793, bibliothèque municipale de Rouen, Norm P 181(2).

15. Amendement Féron, Séance du 17 août 1791, *Moniteur universel, loc. cit.*

16. Le mot arrondissement n'a ici rien à voir avec les arrondissements qui seront créés par la loi du 28 pluviôse an VIII (17 février 1800). Sur ce point, voir B. Lepetit et S. Bonin, « Les départements, arrondissements et cantons en 1800. Les réseaux administratifs en 1790 et 1800 », in D. Nordman, M.-V. Ozouf-Marignier et A. Laclau (dir.), *Atlas de la Révolution française, Le territoire (2), les limites administratives*, Paris, Éditions de l'EHESS, 1989, p. 65-72.

17. Les petites postes sont des services de distribution du courrier à domicile dont certaines grandes villes se sont dotées à une époque où la Poste se contente normalement d'acheminer le courrier d'un bureau de poste à un autre. Sur ce point, J. Pothion, *Dictionnaire des bureaux de poste français, 1575-1904*, Paris, la Poste aux lettres, 1976, BnF, 4 L_f^{186} 800 (1).

18. Sur la petite poste de Rouen : M. Desmonts, *Les Postes locales (1758-1810) et la petite poste de Rouen (1778-1800)*, Rouen, Impr. commerciale du Journal de Rouen, 1932, bibliothèque municipale de Rouen, BR^{m} 2479 ; sur la petite poste en général à cette époque : Arch. nat., F90* 20 243, « Correspondance de l'Intendance générale des Postes concernant le service des "petites postes" établies dans le royaume », 16 avril 1785-9 novembre 1791.

19. Article XXXIII du décret du 17 août 1791.

Il convient d'insister ici sur le lien entre cette appartenance au ministère des Finances et la nature du tarif qui a été constitué. Rappelons que la division du territoire est aussi une opération de formation de circonscriptions fiscales ; la proportion de représentants par département est d'ailleurs en partie calculée sur le montant de ses impositions[20]. Le choix opéré par les constituants, lors du découpage territorial, est de préférer un impôt prélevé par circonscription à un impôt lié à l'état des personnes[21]. L'usage du maillage départemental pour établir la taxe postale entre donc parfaitement dans la logique de la réforme territoriale. La proximité dans le temps ainsi que la similarité des buts expliquent probablement le choix d'une méthode ayant déjà été utilisée lors de la division du territoire. La fixation de centres géométriques de départements pour calculer la progression du tarif en est une illustration.

À la suite de nombreux problèmes financiers, entraînant cinq réévaluations du tarif en six ans, la loi du 9 vendémiaire an VI (30 septembre 1797) ordonne la mise en ferme de la Poste. Cette modification s'accompagne d'un projet de retour au tarif de 1759 qui, finalement, n'aboutira pas[22]. Il faut en fait attendre la loi du 27 frimaire an VIII (18 décembre 1799) pour qu'un nouveau type de tarif voie le jour. Celui-ci est dépeint par l'administration des Postes comme étant construit d'après un « principe vrai » : « La Poste aux lettres ayant à faire des dépenses proportionnées aux distances effectivement parcourues par ses courriers, il [est] équitable et naturel que ces mêmes distances [forment] la base du prix à percevoir et qu'en même temps, la taxe [soit] calculée suivant la distance la plus courte qu'il [est] possible de parcourir d'après les services établis, au lieu de l'être en raison de la route effectivement suivie par les courriers[23]. »

En d'autres termes, le tarif, s'il n'a rien à voir avec l'organisation interne de l'entreprise affermant la Poste aux lettres – comme cela avait lieu dans le tarif de 1759 –, doit, en revanche, être calculé en fonction de l'itinéraire le plus court, tel qu'il apparaît sur la carte prévue par l'administration des Postes dans la loi du 22 frimaire an VIII[24].

Contrairement à la réforme de 1791, celle de l'an VIII est effectuée par des praticiens de la Poste. Ce ne sont pas des députés réunis en comité qui proposent un nouveau tarif, mais c'est l'administration consultée qui préconise l'usage d'un « principe vrai », ce qui place le travail des députés de 1791 du côté des principes faux. Le flux du courrier, les itinéraires par lesquels il peut

---

20. Sur ce point, voir M. Ozouf, « Département », in F. Furet et M. Ozouf (dir.), *Dictionnaire critique de la Révolution française*, Paris, Flammarion, 1992, p. 221-237.

21. Sur cette question, voir M. Marion, *Histoire financière de la France depuis 1715*, Paris, A. Rousseau, 1914-1931.

22. A. Belloc, *Les Postes françaises…, op. cit.*, p. 358.

23. *Ibid.*

24. Séguin [géographe de l'administration générale des postes aux lettres], *Tableau général de la Poste aux lettres dressé en exécution de la loi du 27 frimaire an VIII*, BnF, GE C 6383 (1).

transiter, et les coûts du service postal sont les éléments à partir desquels le nouveau tarif est élaboré. Conséquemment, la taxe postale est transformée en frais d'acheminement du courrier.

Ce n'est qu'en 1827 que les députés reprennent l'initiative dans la pensée du tarif postal. En fait, de nombreuses critiques existent au moins depuis 1823[25], mais ce n'est qu'en 1827, après un long débat opposant Benjamin Constant, Casimir Perier et de Vaulchier, le directeur général des Postes, que le tarif est finalement adopté. C'est un retour au territoire abstrait qui avait été utilisé en 1791. Cependant, cette fois-ci, les départements ne servent plus de trame au tarif, cela malgré un usage cartographique récent présenté devant les députés – la *Carte figurative de l'instruction populaire de la France* par Charles Dupin en 1826[26]. La raison en est probablement à rechercher dans la relative désaffection de ce découpage administratif durant la première moitié du XIXe siècle qui fait lui préférer, selon les idées des uns ou des autres, la province, l'arrondissement, voire le canton. Or, il n'existe aucun accord sur le nombre de provinces et encore moins sur leur taille, et les arrondissements et les cantons sont extrêmement nombreux. Pour l'établissement d'un tarif, ces découpages ont donc des défauts, le plus grave étant certainement qu'aucun n'emporte l'adhésion de tous les députés[27]. Le territoire français est réparti en cercles concentriques « à la Thünen » (dont les travaux sur « l'État isolé » datent de 1826[28]), centrés sur le bureau de poste depuis lequel la lettre doit être envoyée[29]. La réforme postale de 1829, qui instaure la poste rurale, ne revient pas sur ce tarif.

---

25. *Revue du service des Postes depuis 1818, jusqu'à nos jours, par un ancien employé*, Paris, Impr. Torcé et Cie, 1828, BnF, 8 L_f^{186} 33.

26. Sur cette carte, R. Chartier, « Sciences sociales et découpage régional. Note sur deux débats (1820-1920) », *Actes de la recherche en sciences sociales*, novembre 1980, n° 35, p. 27-36 ; G. Palsky, *Des chiffres et des cartes, naissance et développement de la cartographie quantitative française au XIXe siècle*, Paris, Éditions du Comité des travaux historiques et scientifiques, 1996.

27. Sur ce point, Ch.-H. Pouthas, « Les projets de réforme administrative sous la restauration », *Revue d'histoire moderne*, 5, 1926, p. 321-367 ; R. von Thadden, *La Centralisation contestée*, Arles, Actes Sud, 1989 ; J.-P. Riocreux, *Les Réformes de l'administration locale sous la monarchie de Juillet (1830-1848)*, s.l. chez l'auteur, 1974 ; *Id.*, « Une mutation décisive du département : la monarchie constitutionnelle (1814-1848) », in G. Chianéa, R. Chagny et J.-W. Dereymez (éd.), *Le Département..., op. cit.*, p. 525-536 ; M.-V. Ozouf-Marignier, « Centralisation et lien social : le débat de la première moitié du XIXe siècle en France », texte dactylographié, 1995.

28. H. von Thünen, *Der isolierte Staat in Beziehung auf Landwirtschaft und Nationalökonomie*, Hambourg, 1826 (trad. fr., Paris, 1851).

29. Discours du comte Caumont de la Force, séance du 1er février 1827, *Moniteur universel*, 2 février 1827, n° 33, p. 149 ; on trouve un exemple de ce tarif dans : E. Dufrenne, *Petit manuel des Postes, étrenne du commerce du Mans*, Le Mans, impr. Fleuriot, 1833, BnF, 8 L_f^{186} 18.

Il est probable que le dernier changement dans la nature du tarif s'inspire grandement de la réforme anglaise de 1840 qui établit une taxe uniforme sur tout le pays. En France, les discussions devant l'Assemblée nationale s'étendent de 1839 à 1848. Tout comme en 1827, la question est employée par les députés pour aborder une série de thèmes majeurs du débat parlementaire de la Restauration : la liberté de la presse liée à son coût d'acheminement, le renforcement du lien social par les échanges épistolaires à bon marché et la question de la centralisation-décentralisation. Dès le 24 juillet 1839, ces thèmes apparaissent dans des questions adressées au gouvernement. En fait le débat peut se résumer dans la radicalisation du questionnement qui existe depuis 1791 : la somme à acquitter pour acheminer une lettre d'un point à un autre de la France est-elle le paiement du prix de transport ou celui d'une taxe ? Dans le premier cas, celui que l'administration des Postes a fait valoir en l'an VIII, il est logique de s'intéresser au coût réel du transport, et, pour ce faire, de tenter de déterminer précisément la distance que la lettre va parcourir. La pensée du territoire qui préside à ce type de raisonnement articule un système de lignes et de points. *A contrario*, s'il s'agit d'une taxe postale, il convient de tenter de la rendre semblable pour tous les usagers de l'administration, « surtout dans un pays de grande centralisation qui oblige les points éloignés, comme les points rapprochés, d'avoir des rapports fréquents avec la capitale[30] ». L'abaissement du tarif, dû à l'uniformisation de la taxe, « aurait pour résultat de resserrer les liens de confraternité qui doivent unir les habitants d'une même République ; [il] fortifierait l'esprit de famille, et l'esprit de famille qui moralise les peuples est une puissante garantie de l'esprit de nationalité[31] ».

C'est cette deuxième voie qui va être choisie pour la réforme de 1848[32]. La logique fiscale employée ici s'appuie sur le territoire sans s'intéresser aux difficultés existant dans la relation entre les points.

En l'espace de soixante ans, quatre tarifs de nature différente se sont donc succédé. Deux approches du territoire les opposent : pour les praticiens de la Poste (tarifs de 1759 et de l'an VIII), l'important réside dans le coût d'une organisation articulant des itinéraires, des routes et des bureaux de postes ; pour les députés, amenés à s'exprimer sur le tarif d'une administration rattachée au ministère des Finances (tarifs de 1791, 1827 et 1848), ce qui doit être pensé est un système reliant une taxe et des circonscriptions fiscales.

30. Discours du ministre des Finances Lacave-Laplagne, séance du 25 mars 1843, *Moniteur universel*, 26 mars 1843.

31. Rapport de Saint-Priest sur le projet du gouvernement, 17 août 1847.

32. É. ARAGO, *La Poste en 1848*, Paris, Dentu libraire éd., 1867, BnF, 8 L_f^{186} 36.

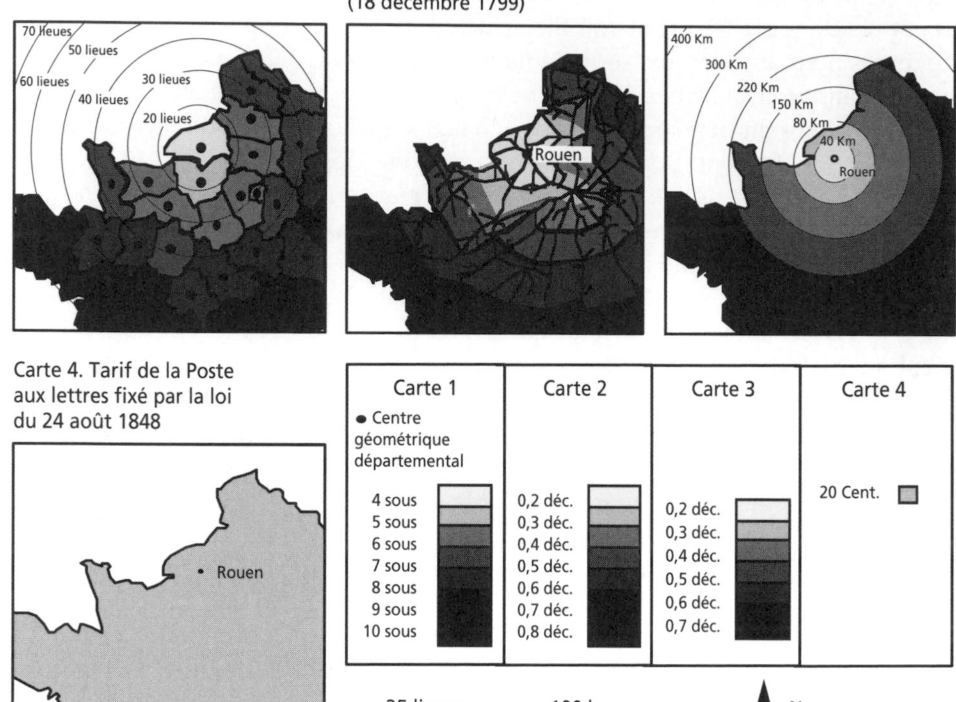

FIGURE 1. Représentation graphique des tarifs postaux de 1791, 1799, 1827 et 1848 pour le bureau de poste de la ville de Rouen.

QUEL SERVICE POUR LA POSTE ?

Au-delà des différences de nature, l'évolution du tarif postal subit un changement profond entre 1827 et 1848 : d'un tarif progressif on passe à une taxe unique. On assiste dans le même temps à une transformation profonde du service postal ; celui-ci, qui se limitait jusqu'en 1829 à l'acheminement du courrier de bureau à bureau, s'augmente après 1829 d'une mission de distribution et de ramassage du courrier dans toutes les communes de France. « À dater du 1er avril 1830, cinq mille facteurs devront recueillir et distribuer les lettres dans toutes les communes rurales du Royaume. Cette grande et utile mesure fait cesser l'espèce d'isolement dans lequel sont placés les sept-dixièmes de la population de la France. Les facteurs ruraux parcourreront *(sic)* de deux jours l'un, au moins, les trente-cinq mille communes qui ne possèdent pas d'établissement de poste. La marche des facteurs devant être d'environ cinq lieues par jour ; ce service sera le plus actif qu'il ait jamais été conçu et exécuté en ce genre, puisque le parcours journalier sera de vingt-cinq mille lieues environ[33]. »

Cette description effectuée par les administrateurs de la Poste utilise donc un discours complètement séparé du tarif qui accompagne la réforme de 1827. Nous l'avons vu, celle-ci fonctionne en articulant des étendues, alors que la réforme de 1829 n'est pensée qu'en lignes et en points formant des itinéraires décrits par la longueur des parcours.

Dès 1828, un auteur anonyme – probablement membre de l'administration des Postes – parfaitement bien renseigné sur le projet de l'administration, alors que celui-ci n'a pas encore été présenté devant la Chambre des députés, tente de résoudre les tensions nées de cette mutation. La première difficulté réside dans le financement de la réforme, la seconde, qui va nous intéresser ici, est celle de la nécessité d'aménager les infrastructures existantes pour la rendre possible.

« L'examen comparé de la carte des postes et de la carte de Cassini fait reconnaître qu'un grand nombre de communes se trouvent à une distance considérable de tout établissement de poste. Cet éloignement est tel que, souvent, il rendrait notre projet impraticable. Toutefois, on pense qu'en augmentant de 160 le nombre des établissements de poste, et en évaluant, comme terme moyen, à 15 le nombre de communes à desservir par chacun de ces établissements, on ferait sortir par ces moyens 2 400 communes de l'état d'isolement dans lequel elles se trouvent actuellement, et qu'ainsi disparaîtrait le seul obstacle réel qui s'oppose à l'exécution de la mesure proposée. *Cent soixante* distributions des postes à raison de 150 F coûteraient 24 000 F et attendu qu'un assez grand nombre de ces établissements ne se trouverait pas sur des routes actuellement parcourues par des courriers, on croit devoir évaluer à 76 000 F les services [...] qu'on serait obligé d'établir[34]. »

Les circonscriptions postales de Haute-Normandie ont été représentées sous la forme de disques centrés sur les bureaux de poste (fig. 2). La méthode ne sert que pour tenter une approximation des zones dans lesquelles « les communes se trouvent à une distance considérable des bureaux de poste ». Ajoutons que ces disques ont un diamètre de quinze kilomètres et recouvrent donc, selon les cas, entre dix et vingt-cinq communes, ce qui est à peu près ce que l'auteur avait proposé. Il semble pourtant difficile de concilier ces zones avec des tournées ne devant pas excéder 5 lieues par jour, et cela même si la zone est divisée en deux du fait du service effectué tous les deux jours. Il faudrait un grand nombre de facteurs ruraux par bureau de poste pour réussir à les couvrir. La représentation

33. Description de la réforme par l'administration en 1829.

34. *Projet qui tend à compléter en France le service de la Poste aux lettres*, Paris, Impr. Trouvé et Cie, février 1828, BnF, L_f^{186} 34.

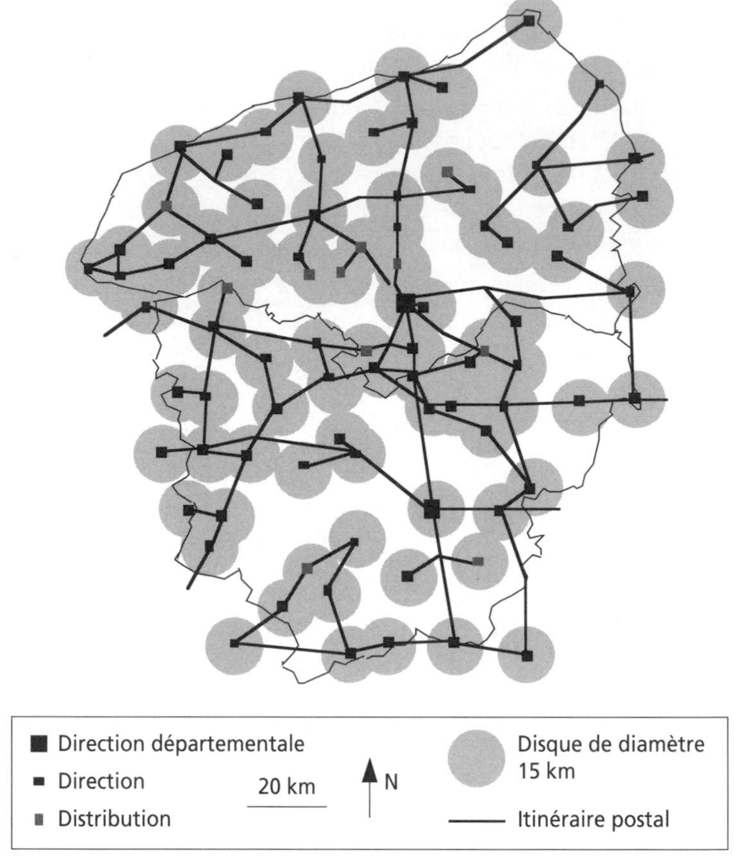

FIGURE 2. Itinéraires des postes et routes en Haute-Normandie (1829).

cartographique employée propose donc une desserte optimale du territoire par les bureaux de poste existants.

Ce constat relevant d'une approche cartographique est en fait étayé par une enquête de grande ampleur effectuée, depuis au moins 1822, par l'administration postale. Celle-ci invite les préfets « à faire délibérer les conseils municipaux sur la question de savoir par quel bureau de poste il convient mieux à chaque commune de recevoir sa correspondance[35] ». Il est intéressant de noter qu'à aucun moment ces demandes ne s'intéressent aux relations routières entre les lieux. Tout ce qui semble importer est de réussir à relier, de façon exhaustive,

35. Arch. dép. Seine-Maritime, 6 PP 2, « Lettre du préfet au ministre, directeur général des Postes, le 28 mai 1822 ». Cette demande sera suivie de nombreuses autres tant en 1824 qu'en 1825 et 1829 dans le département de la Seine-Inférieure. Pour celui de l'Eure, on en trouve des traces en 1824, 1827 et 1829 (Arch. dép. Eure, 331 p. 1).

chacune des communes du département à un bureau de poste. Les enquêtes insistent d'ailleurs auprès des préfets sur la question des annexions de communes et des disparitions qui en résultent sur les listes.

L'administration agit donc ici en fonction de deux préoccupations : d'une part, le transport des dépêches qui va résulter de l'augmentation du nombre de bureaux de poste et d'autre part, la couverture du territoire de la façon la plus exhaustive possible.

Une augmentation du nombre des bureaux de poste

La première conséquence évidente de la réforme de 1829 est la nette croissance du nombre des bureaux de poste. Celle-ci est due à la conscience qu'à l'administration de la Poste du manque évident de bureaux, d'autant plus qu'officiellement la distribution s'améliore rapidement. Le courrier qui n'est censé être distribué qu'une fois tous les deux jours en 1829 doit l'être journellement à partir de la loi du 21 avril 1832, puis plusieurs fois par jour dans de nombreuses communes[36]. Dès 1854, le *Petit manuel de la Poste aux lettres à l'usage du commerce* précise les heures de passage de chaque courrier ainsi que celles des levées dans tous les bureaux de poste d'un arrondissement postal[37]. Les abaissements des coûts liés aux différentes réformes ainsi qu'un besoin croissant de rapidité dans les échanges qui apparaît nettement dans les demandes de création de bureau de poste, sont les raisons de l'augmentation presque constante du nombre des bureaux de poste, et cela depuis 1829 jusqu'à la fin du siècle au moins[38].

Une évolution limite cependant l'intérêt des créations de la dernière partie de la période, du fait de l'abandon par l'administration postale d'une politique claire d'aménagement du territoire. Une série de mesures prises à partir de la fin des années 1870 montrent ce progressif désengagement. Les causes en sont probablement multiples : tout d'abord, il est possible que l'administration postale considère que l'équipement du territoire en bureaux de poste est à cette époque à son niveau optimal, c'est-à-dire celui au-delà duquel

36. Loi du 21 avril 1832, « créant un service journalier dans les communes dépourvues d'un établissement de poste » ; Arch. dép. Seine-Maritime, 6 PP 89, *Discours de M. Vandal, conseiller d'État, directeur général des Postes, commissaire du gouvernement, séance du corps législatif du 21 juin 1865*, Paris, Impr. Impériale, 1865.

37. *Petit manuel du service de la Poste aux lettres à l'usage du commerce*, Reims, Impr. A. Huet, 1854, BnF, L_f^{186} 20.

38. Sur ce point, on consultera la dernière partie de l'ouvrage d'A. Belloc, *Les Postes françaises..., op. cit.*, qui développe une approche statistique de la croissance des échanges postaux durant une partie du XIXe siècle.

une amélioration de la desserte n'est réellement possible que par un coût disproportionné. D'ailleurs, les premiers textes sur les effets de l'exode rural qui entraîne en même temps la désertification des campagnes et la concentration des populations dans les villes n'incitent pas à mieux équiper les communes rurales[39]. Ensuite, il est probable que l'importance croissante du télégraphe, voire le début du développement du téléphone (première concession d'un réseau téléphonique à l'industrie privée le 16 juin 1879[40]) utilisent une partie des budgets du ministère nouvellement créé (5 février 1879). Ajoutons que ce ministère agglomère aux Postes l'administration des Télégraphes qui suit cette politique depuis 1864[41]. Enfin, la crise économique qui s'installe à cette époque atteint le budget de l'État qui en conséquence limite certains de ses investissements et concentre ses mesures sur l'aide à l'activité économique (plan Freycinet en 1879). La circulaire du 3 mars 1877 montre l'importance nouvelle accordée par l'administration postale à l'économie dans les dépenses d'établissement de bureaux de poste. À partir de cette date, la Poste accepte de nombreuses créations de bureaux postaux tant qu'ils sont entièrement à la charge de la commune qui en fait la demande. « L'administration des Postes est autorisée à soumettre au ministre des Finances des propositions de concessions d'établissements de facteurs boîtiers, aux communes rurales situées sur les parcours des courriers de terre, ou possédant une station de chemin de fer.

39. À titre indicatif notons les publications suivantes : J. Brame, *De l'émigration des campagnes*, Lille, Beghin, 1859 ; J.-C. Valny, *Étude sur la dépopulation des campagnes, ses causes, ses conséquences et les moyens pratiques de la combattre*, Auch, F.-A. Corbeaux, 1862 ; A. Legoyt, « Du mouvement de la population dans les villes et dans les campagnes », *Journal de la Société de statistique de Paris*, V, 1864, p. 206-214 ; A. Legoyt, *Du progrès des agglomérations urbaines et de l'émigration rurale en Europe et particulièrement en France*, Marseille, Cager et Cie, 1867 ; D. Tournissoux, « La désertion des campagnes », *Journal de la Société de statistique de Paris*, XXV, 1884, p. 195-204 ; E. Levasseur, *Les Populations urbaines en France comparées à celles de l'étranger*, Paris, A. Picard, 1887.

40. H. Bakis, « Le développement du réseau téléphonique dans l'espace français 1879-1940 », *Bulletin de l'histoire de l'électricité*, n° spécial, « Réseaux de télécommunications et réseau électrique », juin 1986, p. 67-79 ; J.-C. Boyer, « Les débuts du téléphone en France, en Angleterre et aux Pays-Bas », B. Lepetit et J. Hoock (dir.), *La Ville et l'innovation en Europe, XIVe-XIXe siècle,* Paris, Éditions de l'EHESS, 1987, p. 197-208 ; C. de Gournay, « Les réseaux téléphoniques en France et en Grande-Bretagne », *Les Annales de la recherche urbaine*, 23-24, 1984, p. 156-169.

41. P. Charbon, « Développement et déclin des réseaux télégraphiques, 1840-1940 », *Bulletin de l'histoire de l'électricité*, n° spécial, *Réseaux de télécommunications et réseau électrique*, juin 1986, p. 49-66.

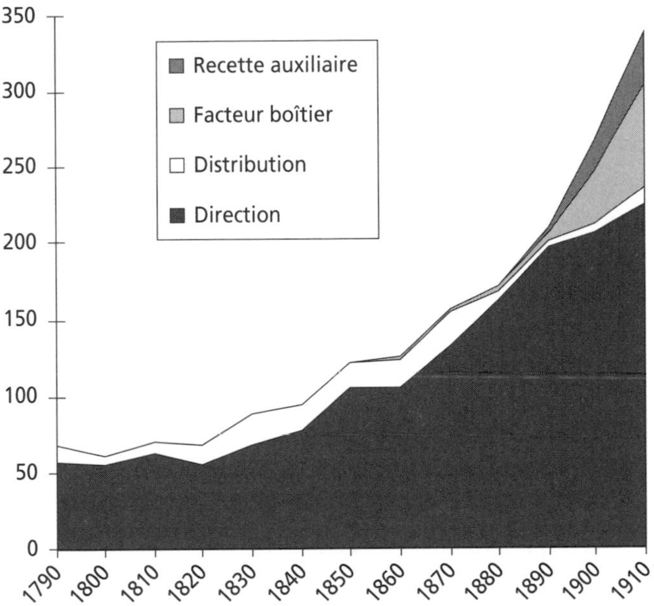

FIGURE 3. Bureaux de poste existants dans les départements de l'Eure et de la Seine-Inférieure[42] entre 1790 et 1910[43].

« La concession de ces établissements [...] n'aura lieu que lorsqu'il n'en résultera aucune dépense nouvelle, soit pour le transport des dépêches, soit pour la distribution à domicile.

42. On assiste à une croissance assez semblable dans les départements bas normands, la Manche, l'Orne et le Calvados. Sur ce point, voir G. Désert, « Le service des Postes en Basse-Normandie au XIXe siècle », *Annales de Normandie*, juillet 1985, p. 241-260.

43. Les sources du tableau sont principalement dans J. Pothion, *Dictionnaire des bureaux de poste français, 1575-1904, op. cit.*, et, du même auteur, *Dictionnaire des bureaux de poste français, 1904-1914*, Paris, La Poste aux lettres, 1977, BnF, 4 L_f^{186} 800 (2). Notons cependant que ces dictionnaires contiennent de nombreux oublis ainsi que des erreurs qui ont été corrigés par la comparaison des listes avec les annuaires locaux, tels que l'*Almanach de Rouen et des départements de la Seine-Inférieure et de l'Eure composant l'arrondissement de la cour royale de Rouen,* Rouen, Impr. Alfred Péron, successeur de Nicétas Périaux, 1810-1910, bibliothèque municipale de Rouen, I 2951[2], ainsi que différents annuaires des postes tels que l'*Ordre général du départ des Postes aux lettres de Rouen pour tous les départements de la République*, Rouen, Gallier, 1793, bibliothèque municipale de Rouen. Norm P 181 (2); Lecousturier et Chadouet, *Dictionnaire géographique des Postes aux lettres...*, an XI, 3 vol.; *Annuaire des Postes*, Paris, 1833, bibliothèque municipale de Rouen. Mont. 966; Duclos (professeur de statistique), *Dictionnaire général des villes, bourgs, villages, hameaux et fermes de la France*, Paris, Impr. Martial, 1855; *Dictionnaire des Postes et Télégraphes...*, Paris, 1898, bibliothèque municipale de Rouen, G. 83.

« L'administration passera avec les communes concessionnaires un contrat au terme duquel ces communes seront tenues de fournir gratuitement les locaux nécessaires à l'exploitation du service postal et au logement des titulaires, et de subvenir à tous frais d'installation, de chauffage, d'éclairage. Il devra en outre notamment être stipulé que toute modification dans le service des postes ou des chemins de fer, qui nécessiterait l'emploi de mesures onéreuses pour le transport des dépêches des établissements de facteurs boîtiers créés dans ces conditions, entraînera de plein droit leur fermeture[44] [...] »

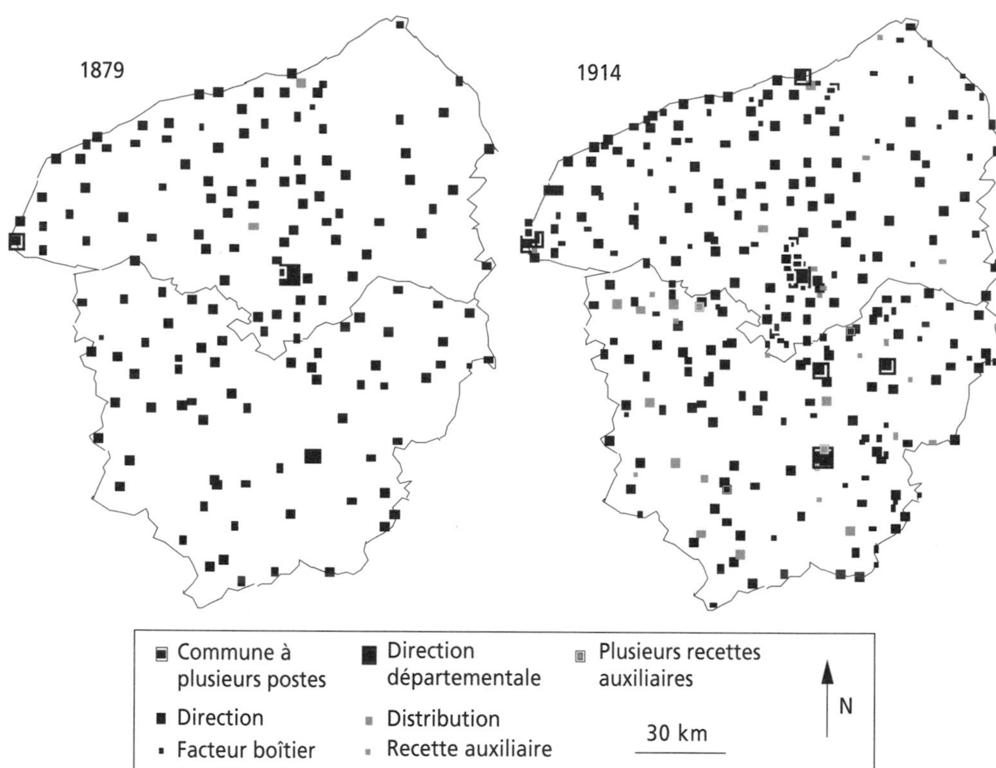

FIGURE 4. Bureaux de poste dans les départements de l'Eure et de la Seine-Inférieure en 1879 et 1914.

La circulaire du 17 mai 1887 propose, dans le même esprit, des bureaux de poste au coût réduit pour permettre aux communes de s'équiper si elles le souhaitent. En conséquence, on assiste après 1880 à une vague de créations sans précédent, sans que l'on puisse y lire une volonté délibérée d'aménager

44. Arch. dép. Seine-Maritime, 6 PP 89, « Circulaire du 3 mai 1877 ».

l'infrastructure postale pour en améliorer les qualités. L'observation des deux cartes précédentes montre plus un renforcement des tendances existantes en 1879 qu'une tentative de désenclavement des zones mal desservies. Le nord-est du département de la Seine-Inférieure ainsi que le sud du département de l'Eure restent loin derrière les zones favorisées telles que le centre et l'ouest de la Seine-Inférieure ou le nord de l'Eure.

OÙ CRÉER DES BUREAUX DE POSTE ?

La loi de 1829 entraîne donc un nouveau besoin d'équipement. Cependant, l'acheminement du courrier de bureau à bureau demeure et la distribution est un ajout qui ne fait pas disparaître l'ancienne mission. De plus, l'utilisation du tarif unique fait rapidement croître la masse de courrier à traiter. Face à une demande croissante, le service de la Poste ne peut fonctionner efficacement qu'en essayant d'améliorer simultanément ces deux fonctions. Comment l'administration postale réussit-elle à obéir conjointement à leurs exigences ?

Localiser les bureaux pour le service des dépêches

Pour ce qui concerne le service des dépêches – entendons celui de l'acheminement du courrier de bureau de poste à bureau de poste –, la conception du territoire appliquée par les membres de l'administration centrale articule un système de lignes et de points ; en conséquence, le choix des bureaux de poste varie en fonction de la valeur accordée à chacun de ces éléments.

La définition des localités dans lesquelles créer un bureau de poste n'apparaît qu'à la suite de la réunion en une seule administration de la Poste aux lettres, de la Poste aux chevaux et des messageries en avril 1793[45]. La loi des 23 au 24 juillet 1793 (fig. 5), qui intègre la logique de la réunion de ces trois services, prévoit, dans son article premier, que des bureaux de poste seront créés « partout où serait besoin de bureaux pour le départ et la distribution des dépêches, l'enregistrement des voyageurs, le chargement et la remise des paquets, ballots et marchandises ».

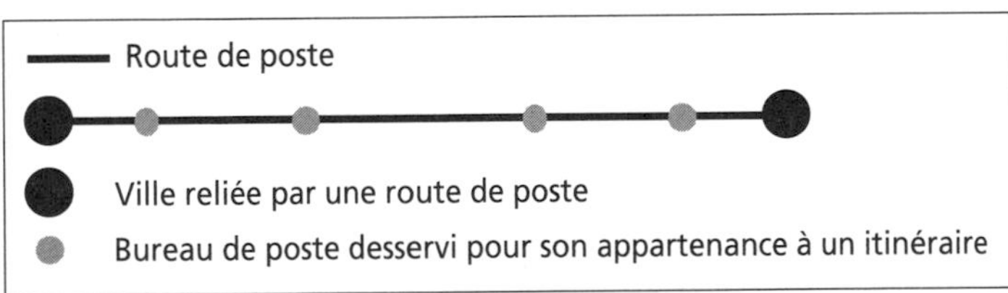

FIGURE 5. Bureau de poste : 23-24 juillet 1793 et 29 brumaire an III.

45. Décret du 5 avril 1793.

Le titre II de cette loi prévoit par ailleurs la construction de voitures dites grandes et petites malles-postes « disposées de manière à contenir, indépendamment des dépêches et des courriers, un, deux ou trois voyageurs[46] ». La création de bureaux de poste est donc directement liée aux itinéraires de la Poste aux chevaux et dépend du réseau routier. Cette relation forte entre la route de poste et les bureaux de poste aux lettres est réaffirmée en l'an III par la reprise de cet article dans la loi du 29 brumaire. La seule différence réside dans le fait que la décision de création est attribuée aux conseils généraux[47].

Le bail à ferme du produit de la Poste aux lettres du 1er prairial an VI (fig. 6), s'il ne prévoit aucune création, décide en revanche des disparitions. Dans son article 4 le cahier des charges articule l'importance de la route et l'importance du bureau. Les services journaliers existant au 21 décembre 1791 sur les routes directes seront rétablis; ceux qui sont placés sur les embranchements de ces routes seront rétablis sur les routes desservant soit un chef-lieu de département, soit un bureau dont le produit net annuel s'élève à 10 000 F par an. Les autres services seront faits de deux jours l'un, voire deux jours par décade, dans les bureaux dont le produit s'élève au moins à 500 F par an. Les bureaux restants seront fermés. Cette mesure touche six bureaux dans l'Eure et deux en Seine-Inférieure[48].

La question des routes perd progressivement de son importance. Le dernier texte qui y renvoie explicitement date de 1848 et demande au préfet de la Seine-Inférieure de choisir les routes les plus aptes à relier plusieurs bureaux de poste[49]. Puis, la route disparaît des textes. À cela, une explication simple : le réseau routier augmente considérablement au XIXe siècle. Ainsi, les routes royales dans les deux départements passent seulement de 957 km en 1824 à 1 017 km en 1837. Mais l'ensemble des routes nationales (royales et impériales) et départementales fait plus que doubler entre 1837 et 1854 (1 258 km en 1837 et 2 632 km en 1854). Le réseau, relativement lâche en 1824 et 1837, devient donc assez dense dès 1854. Quant à l'état d'entretien de ce réseau, il passe de 13 % en 1824 à 61 % en 1837 et enfin à 98 % en 1854. La comparaison des statistiques de 1854 avec celles de 1878 montre que les améliorations qui suivent ne sont que de détail[50]. Dans ces conditions, la route n'est plus un problème en soi et il est normal qu'elle disparaisse des préoccupations.

---

46. Décret des 23-24 juillet 1793.

47. Loi du 29 brumaire an III.

48. Dans l'Eure : Étrepagny, La Ferrière-sur-Risle, Ivry-la-Bataille, Quillebeuf, La Rivière-Thibouville et Vieille-Lyre. En Seine-Inférieure : Goderville et Yerville.

49. Arch. dép. Seine-Maritime, 6 PP 34, Lettre de la Direction des Postes au préfet de la Seine-Inférieure le 30 janvier 1848.

50. Les sources proviennent des publications du ministère des Travaux publics, de l'Agriculture et du Commerce en 1837 (pour 1824 et 1837) et 1854 et de *l'Annuaire statistique de la France* pour 1878.

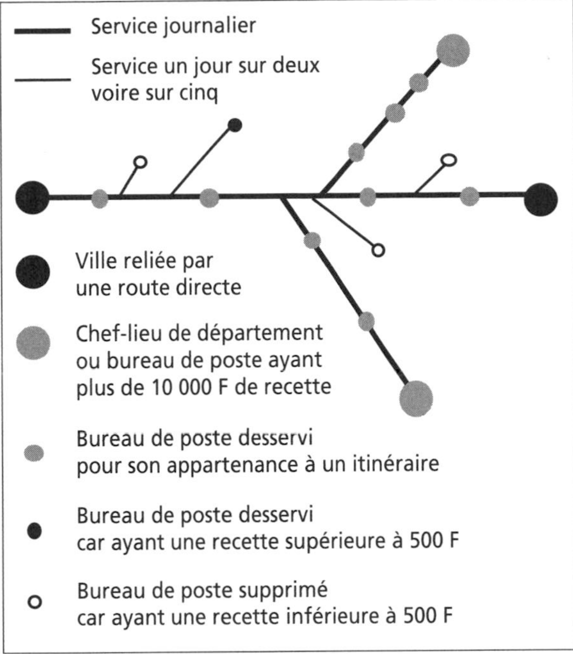

FIGURE 6. Bureau de poste an IV.

Ce type d'articulation entre lignes et points est ensuite employé avec l'arrivée du réseau de chemin de fer. Tout d'abord, la création du premier « bureau de poste ambulant » sur la ligne Paris-Rouen, le 1er mars 1845, entraîne, le même jour, la suppression de la malle-poste affectée à ce trajet[51]. De plus, les bureaux de Saint-Pierre du Vauvray et d'Oissel, deux stations de la ligne, sont ouverts, respectivement en novembre 1845 et en janvier 1846, conformément à l'article 2 de l'arrêté du directeur général des Postes en date du 24 février 1845 qui prévoyait que les stations de chemin de fer seraient les lieux de l'échange des dépêches de la route de Paris au Havre.

En fait, il faut attendre les années 1850 pour que l'administration des Postes essaye de réorganiser méthodiquement le trajet des malles-postes en fonction des stations de chemin de fer. Ainsi, le directeur des Postes envoie le 28 janvier 1855 une circulaire aux préfets : « En vue de faciliter le service des voyageurs en poste sur toutes les routes latérales affluents aux chemins de fer, et afin de procéder en même temps à une nouvelle organisation des relais, mon administration a besoin de recevoir des renseignements sur les localités

51. P. Lux, *La Poste ferroviaire de ses débuts à 1870*, s.l., Académie de Philatélie, 1992, BnF, 4 L_f^{186} 715 (2,1).

dans lesquelles il vous paraîtrait utile d'établir des relais de poste, notamment dans les stations de chemin de fer exécutées ou en cours d'exécution et sur les routes qui y aboutissent. J'ai fait dresser à cet effet et je vous envoie ci-joint un tableau indicatif des stations placées dans votre département avec la désignation sommaire des communications nouvelles qu'il pourrait y avoir lieu d'établir en Poste.

« Je […] vous laisse toute espèce de latitude en ce qui concerne la création de lignes postales dans votre département, ainsi que des relais qui devront les garnir au point de vue des nécessités du service qu'a fait naître ou que pourrait occasionner le passage du chemin de fer[52]. »

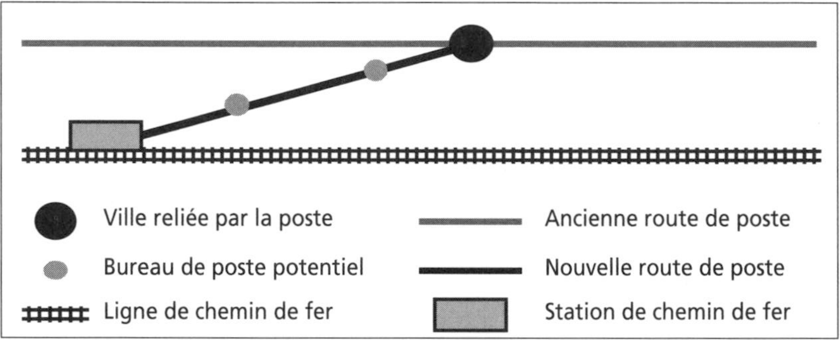

FIGURE 7. Nouvelles routes de poste, bureau de poste et chemin de fer, selon les circulaires de 1855 et 1877.

L'existence d'une station de chemin de fer n'est pourtant vue que comme un avantage temporaire. Ainsi, la circulaire du 3 mars 1877 prévoit que le service des chemins de fer peut subir des modifications qui entraîneraient la fermeture des bureaux de poste[53].

Il semble donc que la réforme de 1829 ne fasse pas disparaître la logique qui lui préexiste. La localisation d'un bureau de poste doit lui permettre d'être relié le plus efficacement possible par une articulation de lignes et de points. Notons cependant que les créations liées à ce type de localisation sont rares. En effet, le plus souvent les nouvelles infrastructures suivent le principe des avantages acquis. Dès la Révolution, toutes les communes importantes ont un bureau de poste et ce sont ces mêmes communes qui réussissent à faire valoir

52. Arch. dép. Seine-Maritime, 6 PP 2, Circulaire aux préfets de la direction générale des Postes, 28 janvier 1855.

53. Arch. dép. Seine-Maritime, 6 PP 89, Circulaire aux préfets de la direction générale des Postes, 3 mars 1877.

leurs intérêts lors de la création des lignes de chemin de fer. La question des postes importantes est donc réglée bien avant la période que nous étudions.

Localiser les bureaux servant à la collecte et à la distribution

Pour ce qui est maintenant de la localisation du bureau devant servir à la collecte et à la distribution du courrier, la conception du territoire qu'utilise l'administration postale est différente. Sur ce point, la première indication provient de la *Première instruction générale sur le service des postes* de 1792 ; elle concerne les bureaux de distribution et les fonctions de leur personnel : « L'établissement des bureaux de distribution a pour objet de faciliter la circulation des lettres dans l'arrondissement et sous l'inspection des bureaux de poste dont ils relèvent. Les fonctions des préposés aux bureaux de distribution se bornent à recevoir les lettres et paquets ordinaires des lieux et pour les lieux où ils sont établis, ainsi que les lettres et paquets des bourgs ou villages voisins, auxquels il peut être utile de se servire *(sic)* desdits bureaux de distribution[54]. »

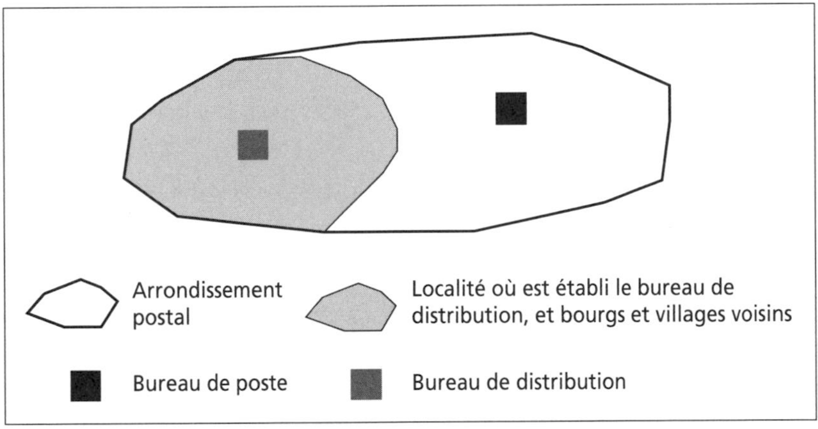

FIGURE 7. Bureau de distribution selon la première instruction générale sur le service des Postes de 1792.

Aucune action de déplacement des préposés n'est ici évoquée ; si les lettres circulent, c'est grâce aux allers-retours des habitants de la circonscription postale (qui ne sont pas non plus décrits, l'arrondissement n'étant constitué que de bourgs et de villages).

Nous l'avons vu, l'importance de l'arrondissement postal est réaffirmée à partir de 1822 et ceci régulièrement jusqu'en 1829. Après cette date, des parutions succèdent aux enquêtes et dès 1837 paraît le *Dictionnaire des Postes*,

54. Article 24, 26 octobre 1792.

publié par l'administration générale des Postes[55]. Ce type de parution, qui se répète tout au long du siècle, suit un type d'exposition constant. À chaque commune sont attribués un chef-lieu de département, d'arrondissement et de canton et un bureau de poste. Les circonscriptions administratives sont donc mises sur le même plan que les circonscriptions postales. Notons que, dès le début des années 1830, l'administration, sur la demande de nombreux conseils généraux, tente d'intégrer les arrondissements postaux aux maillages administratifs[56]. Ajoutons que les chefs-lieux de canton sont préférés aux autres communes pour l'attribution des bureaux de poste[57]. On peut affirmer que, suivant l'administration postale, un bureau n'est pas concevable sans son arrondissement et que cette circonscription ne diffère pas dans sa nature des autres découpages administratifs : c'est-à-dire des étendues dont le chef-lieu est conçu comme le centre des pratiques.

Cette définition se complique tout au long du XIXe siècle, en même temps d'ailleurs que les statistiques sur les maillages administratifs se développent. Ainsi, en 1848, le préfet de la Seine-Inférieure reçoit une réponse favorable à la demande de création d'un bureau de poste dans la commune d'Auffay, au motif que « les enquêtes préparatoires faites sur ces demandes ont donné lieu de reconnaître que, par sa population, sa position topographique, ses ressources agricoles et industrielles, cette commune pouvait entrer en ligne pour obtenir le bureau de poste qui est réclamé[58] ».

Que signifie cette formule ? La connaissance de la population, à une époque où les recensements ne donnent pas le détail des professions, se limite à la quantité des habitants. Pour les ressources agricoles, elles sont impossibles à connaître par commune ; les descriptions se font le plus souvent par arrondissement et il faut attendre l'enquête de 1852 pour obtenir des renseignements à l'échelle du canton[59]. C'est une vision assez générale d'un arrondissement de Dieppe, qui est évoqué au travers de la qualité de ses terres agricoles[60], ou

---

55. Arch. dép. Eure, 331 P 1, Administration générale des Postes, *Département de l'Eure*, extrait du *Dictionnaire des Postes*, Paris, Impr. Royale, 1837.

56. Arch. dép. Eure, 331 P 1, Lettre du directeur de la Poste au préfet de l'Eure, 12 décembre 1832.

57. Arch. nat. F 90 8A, Lettre du préfet de la Seine-Inférieure du 8 avril 1828 ; Arch. dép. Eure, 333 P 1, dossier sur la demande de la commune d'Ecos, chef-lieu de canton de l'arrondissement des Andelys en 1832 ; Arch. dép. Seine-Maritime, 6 PP 34, Lettre du directeur de la Poste au maire d'Offranville [chef-lieu de canton], 13 avril 1853.

58. Arch. dép. Seine-Maritime, 6 PP 34, Lettre de la direction des Postes au préfet de la Seine-Inférieure, 30 janvier 1848.

59. Sur l'enquête de 1852 : M. Demonet, *Tableau de l'agriculture française au milieu du XIXe siècle, l'enquête de 1852*, Paris, Éditions de l'EHESS, 1990, p. 23-29.

60. *Annuaire statistique du département de la Seine-Inférieure, pour l'année 1823, publié par ordre du préfet, d'après le vœu exprimé par le conseil général du département*, Rouen, P. Périaux, 1823, bibliothèque municipale de Rouen, Norm 79 1823.

décrit par des masses de production difficilement attribuables à des lieux[61]. Pour l'industrie, le volume de la grande enquête industrielle sur les départements normands est paru en 1847[62]. Cette enquête, pour laquelle Dupont-Delporte, le préfet de la Seine-Inférieure, se voit félicité, fournit une localisation des entreprises industrielles par commune.

Reste la topographie ; quelle est la signification de ce mot en 1848 ? Quatre usages du mot semblent exister simultanément dans le deuxième tiers du XIXe siècle. Tout d'abord, à l'échelle du département, le mot est principalement utilisé jusque vers 1840 au moins dans des descriptions reposant toujours sur les mêmes critères. La situation y est exprimée dans une logique contenant/contenu, par rapport aux circonscriptions supérieures comme la province, et, dans une logique d'emboîtement, par renvoi aux départements jouxtant celui qui est dépeint. Ensuite le relief est décliné en montagnes, plateaux, plaines et vallées ; enfin, le réseau hydrographique est décrit rivière par rivière et une attention spéciale est accordée aux marais et autres « mauvais pays »[63]. Dans cette approche, « faire une topographie n'est [...] autre chose qu'écrire ou décrire un lieu [...]. Que l'on ne s'étonne donc point du grand nombre de questions, [il n'en est] aucune qui n'est un objet utile à connaître [...][64] ».

Dans le même temps, mais à une échelle plus grande, le mot topographie renvoie à la carte d'état-major qui est dressée entre 1818 et 1880 pour l'ensemble de la France[65]. Cette carte existe pour la Seine-Inférieure en 1840[66], mais on ne sait si la carte est employée par l'administration des Postes. À cette époque, l'administration des Ponts et Chaussées, qui pourrait pourtant avoir avantage à l'utiliser pour tracer les projets de ligne de chemin de fer, ne l'emploie pas[67]. Il est possible que l'administration des Postes n'en fasse pas usage. De plus, en 1879, lors de la réunion de la Poste et des Télégraphes dans une même administration, l'ancienne administration des Postes demande à récupérer les cartes existant dans les bureaux de télégraphes.

Le mot est encore employé à l'époque par de nombreux médecins, auteurs de topographies médicales d'inspiration néo-hippocratique. Ce genre en vogue au XVIIIe siècle se maintient durant la première moitié du XIXe. Encore en 1874 paraît un *Essai sur la topographie médicale de la ville d'Elbeuf*[68]. Le plan de ce

---

61. Dans l'enquête de la Statistique générale de la France effectuée entre 1836 et 1840.

62. Statistique générale de la France, *Industrie*, Paris, Impr. Royale, 1847, vol. 2.

63. Sur cette question, M. Roncayolo, « Le paysage du savant », in P. Nora (dir.), *Les Lieux de mémoire*, Paris, Gallimard, 1997, 3 vol., vol. 1, p. 997-1034.

64. C. Dralet, *Plan détaillé de topographie*, Paris, Huzard, an IX.

65. G. Palsky, *Des chiffres et des cartes..., op. cit.*, p. 17-18.

66. Arch. nat. F[1]c V Seine-Inférieure, 6, pièce 57.

67. Sur ce point, et pour les lignes qui concernent les départements de la Seine-Inférieure et de l'Eure, Arch. nat. F[14] 8 862 et 8 863.

68. Par J.-B. Lesaas, Rouen, 1874.

type d'ouvrage est connu : il reprend le modèle du traité d'Hippocrate, « des airs, des eaux et des lieux ». La définition des lieux qui y est utilisée mentionne le relief et les circonscriptions formant les limites de la commune. On retrouve une grande similarité avec les descriptions départementales qui viennent d'être évoquées.

Enfin, le mot topographie est régulièrement employé lors des discussions portant sur les circonscriptions administratives telles que les cantons et les communes. Ainsi, en 1838, la ville d'Évreux demande le rattachement d'une commune à son canton car « par sa position topographique, elle est en grande partie enclavée dans le canton d'Évreux[69] ». De même, en 1865, Delérue, qui occupe un poste à la préfecture de Rouen, propose la réunion des communes d'Elbeuf, de Caudebec et de Saint-Aubin, au motif que « la similitude des intérêts, la communauté d'origine, de mœurs, d'habitudes, des populations ; la proximité topographique des localités, tout se réunit pour favoriser la réunion administrative des trois communes[70] ».

Si l'on exclut la carte d'état-major, les usages du mot topographie ne renvoient pas à la question de la route et des flux possibles, mais se cantonnent à une description du relief et, ce qui nous intéresse plus, à une définition de la commune en fonction des communes proches. Il est raisonnable de penser que le mot topographie est ici employé pour évoquer la situation de la commune par rapport aux circonscriptions proches ; il n'est probablement pas excessif d'y inclure, dans ce cas, les arrondissements postaux.

En 1848, le type d'information traité articule ainsi des étendues (les arrondissements postaux pensés dans une approche topographique) et des points (les communes) pour sélectionner les localités pouvant obtenir un bureau de poste.

Trente ans plus tard, en 1882, A. Hec, rédacteur de l'administration centrale à la direction de la Caisse nationale d'épargne, ancien commis principal de direction, rédige un *Traité théorique et pratique du service des directions départementales des postes et télégraphes*. Dans cet ouvrage, il explicite la méthode utilisée à cette époque pour déterminer un classement à l'échelle nationale des communes impétrantes. Après avoir défini les communes devant appartenir à l'arrondissement postal, Il donne un barème dans lequel la valeur attribuée à chaque commune de la circonscription est ajoutée à celle des autres, selon un système normalisé. « Dans le classement, il est tenu compte de deux points par cent habitants ; de dix points par cent francs de produits

---

69. Arch. dép. Eure, 1 M 101, dossier de rattachement de la commune de la Chapelle des Bois des Faulx à l'arrondissement d'Évreux, « Extrait du registre des délibérations du Conseil municipal de la commune d'Évreux le 10 mai 1838 ».

70. Arch. dép. Seine-Maritime, 1 M 93, « Projet de réunion à Elbeuf des communes de Caudebec et de Saint-Aubin », Brouillon de la lettre envoyée au maire d'Elbeuf le 9 janvier 1865.

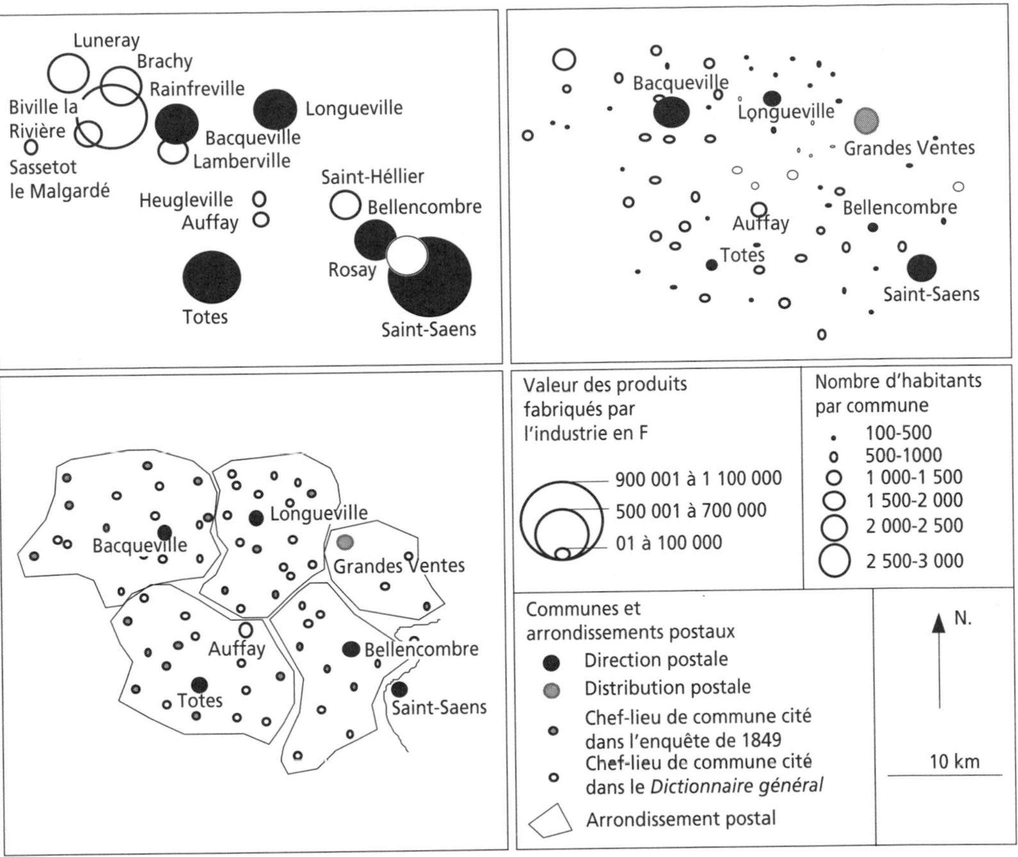

FIGURE 9. Position topographique de l'industrie, de la population et des circonscriptions postales de la commune d'Auffay en 1848.

postaux, de quatre points par chaque kilomètre excédant quatre kilomètres de distance du bureau le plus rapproché, de vingt-cinq points si la commune est chef-lieu de canton, et, enfin, de cinquante points si la commune possède un bureau télégraphique. »

En apparence, ce modèle à cinq variables n'ajoute fondamentalement rien à celui de 1848. Cependant, l'importance accordée au bureau de télégraphe (un bureau de télégraphe est équivalent à 2 500 habitants, ou 500 F de recette ou encore à plus de 16 km d'éloignement d'un bureau de poste), qui n'a aucun sens sans la ligne télégraphique, montre une évolution sensible dans la conception du territoire. L'arrondissement postal qui était défini par une simple relation de proximité est maintenant un ensemble de communes ayant toutes des qualités qui leur sont propres. Cet ensemble attribue au chef-lieu de la circonscription postale une importance particulière ; à elle seule cette commune peut représenter en même temps un chef-lieu de canton et avoir un bureau télégraphique. Notons sur ce point qu'au cas où ledit bureau ne serait pas situé dans la commune impétrante, celle-ci doit s'engager à payer le transfert de ce bureau et son établissement dans le local postal[71].

La conception du territoire qui transparaît au travers de ces exigences montre qu'il existe une évolution nette entre 1848 et 1882. Alors qu'en 1848 l'arrondissement postal fonctionne en apparence sans référence externe comme la route, en revanche, en 1882 sa définition accorde une grande importance à la liaison télégraphique.

Ce passage d'un modèle liant étendue et points à un modèle articulant étendues, lignes et points s'explique par l'affirmation constante, depuis le début des années 1860, tant par les députés que par les conseils généraux[72] ou encore que l'administration de la Poste elle-même, de la proximité des services de la Poste et des Télégraphes à une époque où ces deux administrations sont séparées. La réunion en 1878, si elle est souhaitée par l'administration de la Poste, crée cependant une tension entre la répartition des bureaux de poste et celle des bureaux télégraphiques.

En effet, alors que la localisation des bureaux de poste est contrôlée par l'administration jusqu'à la fin des années 1870, la localisation des bureaux télégraphiques suit des principes différents. À partir des années 1850, deux réseaux sont construits simultanément. Le premier est administratif : il relie les chefs-lieux de départements et d'arrondissements à Paris et il est à la charge de l'État (il suit autant que faire se peut le réseau des voies de chemin de fer). Le second est le réseau dit « cantonal » et concerne les localités qui ne sont ni chef-lieu de département, ni chef-lieu d'arrondissement; l'équipement est à la charge des communes qui souhaitent obtenir ce moyen de communication. Ce réseau s'étend rapidement : la longueur des lignes aériennes, qui était de 28 000 km en 1864, passe à 55 000 km en 1878. Pendant la même période, le nombre de bureaux est passé de 610 à 4 587. Un réseau étendu s'est donc constitué en l'espace d'une vingtaine d'années selon des critères qui n'avaient rien à voir avec ceux qui étaient employés pour le réseau postal[73]. À partir des années 1880, la réorganisation du Télégraphe liée à l'essor du câble souterrain pour les lignes

---

71. Sur ce point, on verra par exemple le gros dossier concernant la commune de Gueures qui tente d'éviter ces frais entre 1894 et 1989 : Arch. dép. Seine-Maritime, 6 PP 77.

72. Par exemple Arch. dép. Eure, 333 P 4, Lettre de la direction générale des Postes au conseil général du département de l'Eure le 14 novembre 1872. Par ailleurs, sur les discussions devant l'Assemblée nationale : A. Belloc, *Les Postes françaises…*, *op. cit.*, p. 640-641.

73. Sur ces questions, P. Charbon, « Développement et déclin des réseaux télégraphiques… », art. cité.

principales et la tentative de résolution de la tension entre l'organisation de la Poste aux lettres et celle du Télégraphe incitent les administrateurs à rapprocher les deux organisations.

Le changement dans la conception du territoire lors du choix sur la localisation des bureaux de poste assurant la collecte et la distribution du courrier est donc liée à la réunion des administrations de la Poste aux lettres et du Télégraphe.

À cette échelle, et quant à la question portant sur la distribution et la collecte du courrier, l'évolution dans son ensemble passe d'un simple lien de proximité à une définition de plus en plus précise des communes formant l'arrondissement, et, finalement, à la mise en avant d'une logique incluant lignes et points au sein même de la logique dominante employant étendues et points.

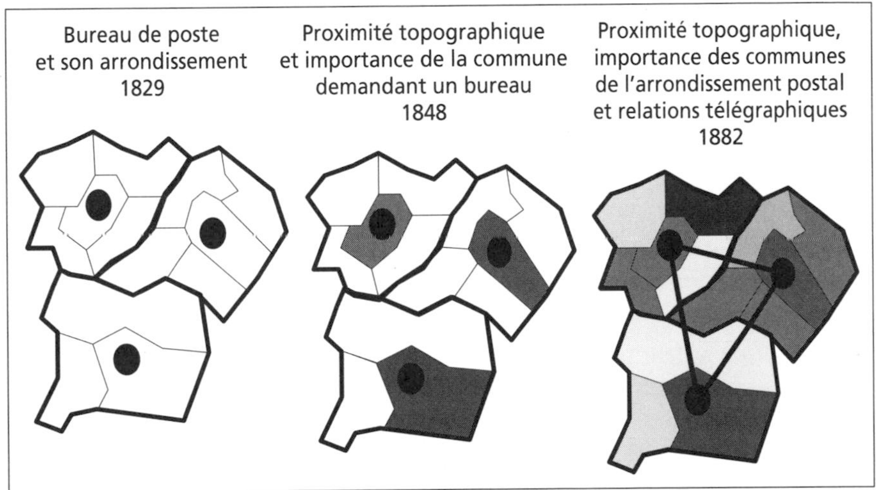

FIGURE 10. Territoire employé pour justifier les créations postales selon l'administration centrale de la Poste aux lettres.

Plusieurs évolutions des conceptions du territoire apparaissent donc simultanément à différentes échelles. Dans un premier cas, qui est celui des tarifs, un modèle en exclut un autre. Les législateurs font alterner lignes et points et points et étendues jusqu'à l'uniformisation du tarif en 1848.

En revanche, l'étude des normes employées lors de la création des bureaux de poste montre la réunion des deux modèles. Celle-ci s'effectue en fait selon deux modalités. Tout d'abord, le bureau de poste sert d'articulation entre l'échelle du service des dépêches et celle de la distribution et de la collecte. La logique liant nécessairement les bureaux entre eux par des routes ou des lignes de chemin de fer coexiste donc avec celle qui se concentre sur une détermination des arrondissements postaux. Ensuite, du fait de la diffusion du télégraphe qui s'effectue au travers du « réseau cantonal », le modèle employé à l'échelle de la distribution et de la collecte se complexifie et associe points, lignes et étendues dans une conception unifiée du territoire.

Il existe donc au même moment plusieurs conceptions du territoire au sein de l'administration des Postes. Nous avons vu que l'étude des tarifs ajoute à cette complexité. Celle de la justification des demandes effectuées par les communes ajouterait encore à la diversité. Cependant, il semble que sur ce point l'administration postale soit l'initiatrice des évolutions. En effet, en même temps qu'elle se livre à une normalisation de ses choix, elle exige des communes qu'elles s'intègrent à la logique employée.

Une fusion controversée : la création du ministère des Postes et Télégraphes

Olivier BATAILLÉ [1]

C'est par décret du 5 février 1879 qu'est créé le ministère des Postes et Télégraphes. Dès 1887, celui-ci est supprimé. Son existence aura donc été éphémère. Pourtant, l'idée de fusionner les deux services destinés à la transmission des nouvelles va occuper une grande place dans l'histoire administrative du XIXe siècle.

C'est cette difficulté à réaliser une fusion qui nous paraît aujourd'hui si évidente et si pleine de bon sens, que nous allons nous attacher à retracer. Nous verrons également que les arguments en faveur de la réunion des services postaux et télégraphiques, ainsi que ceux de ses adversaires, seront les mêmes tout au long du siècle.

GENÈSE D'UNE FUSION

La fusion des deux administrations des Postes et des Télégraphes a été envisagée à diverses périodes du XIXe siècle. Mais elle a toujours été repoussée jusqu'à ce que la IIIe République la réalise enfin après un siècle de tergiversations.

Vicissitudes d'une idée

C'est en 1828, au temps du télégraphe aérien, que l'idée d'une telle fusion se trouve mentionnée. La proposition émane alors du baron de Villeneuve. L'année suivante, le comte Foy, ministre des Finances, et le marquis de Vauchier, directeur général des Postes, proposent au ministre de l'Intérieur de réunir le Télégraphe à la Poste. Ce dernier refuse catégoriquement pour le motif que « le service des lignes télégraphiques se lie trop essentiellement à ce

1. Docteur en histoire du droit, université de Toulouse-I.

qui intéresse la police du royaume pour qu'il puisse être question de le séparer du département ministériel dans lequel il se trouve placé[2] ».

Il faut ensuite attendre la Monarchie de Juillet, en 1847, pour voir l'idée resurgir. En juillet, lors de la discussion du budget à la Chambre des députés, un débat s'instaure sur l'opportunité de fusionner les deux administrations. M. d'Eichtal se déclare partisan de l'établissement du nouveau télégraphe électrique sous forme de régie postale. Mais l'idée est repoussée à une époque où, selon Alexis Belloc, « sa fusion avec l'administration des Postes était le plus facilement réalisable et la moins coûteuse étant donné alors le peu d'avancement et d'implantation de l'institution nouvelle, la quantité à peu près nulle de matériel et le nombre infime de personnel[3] ».

Et c'est ainsi que pendant tout le Second Empire les deux moyens mis à la disposition du public pour la transmission de ses correspondances[4] vont être régis par deux administrations entièrement séparées, relevant de deux ministères différents.

Pourtant, ce système est loin de ne présenter que des avantages. Le public le comprend fort bien car les postes télégraphiques sont beaucoup moins nombreux que les établissements postaux, réduisant d'autant l'accès de la population au télégraphe. Malgré cela, l'Empire ne sera jamais favorable à la réunion des services postaux et télégraphiques au sein d'une seule entité, et cela, même pour les petits bureaux établis dans les campagnes françaises.

Pourtant, la question de la fusion est agitée à de nombreuses reprises au Corps législatif. Ainsi, en juillet 1861, la discussion d'une loi sur les tarifs télégraphiques permet au député Paul Dupont de se prononcer nettement en faveur de la fusion. L'année suivante, la question est même discutée au sein du gouvernement.

En 1863, Busson, rapporteur de la commission du Budget, trouve avantageux et économique de confier les bureaux télégraphiques d'une importance purement secondaire aux agents des Postes. Première avancée vers l'idée de fusion totale des deux services. Mais c'est en 1864 que la question va prendre une tout autre ampleur. La commission du budget saisit le Corps législatif par un avis favorable à la fusion. Elle adresse au gouvernement l'invitation pressante d'accomplir cette réforme dans le plus bref délai possible.

De plus, la pression de l'opinion en faveur de la réunion des bureaux postaux et télégraphiques est forte à la Chambre, à tel point, nous dit le député Charles Rolland, que « l'autorité supérieure, si mal disposée qu'elle fût [...]

2. A. Belloc, *La Télégraphie historique*, Paris, Firmin-Didot, 1888, p. 178.
3. *Ibid.*
4. La télégraphie électrique est ouverte au public par une loi du 29 novembre 1850.

crut devoir faire à la proposition l'honneur de l'évoquer et de l'amortir par l'intervention d'un examen extra-parlementaire[5] ».

La question est ajournée afin de permettre au gouvernement de réaliser des études sur la question. Les deux directeurs généraux sont priés de fournir leurs appréciations motivées.

Lors de son rapport au ministre des Finances, Édouard Vandal, directeur général des Postes, se déclare favorable à la fusion. Ses arguments sont ceux qui seront repris moins de dix ans plus tard, cette fois-ci avec succès : « La Poste et le Télégraphe sont deux agents solidaires, nés du même ordre d'idée et ayant un but commun, celui de favoriser la locomotion de la parole et de la pensée. Séparés, ils présentent l'anomalie de deux organes d'une même machine fonctionnant isolément quant le but est le même. Réunis, leur action concentrée développerait plus de puissance qu'une action divergente et isolée[6]. »

De son côté, le directeur général des Lignes télégraphiques adresse un rapport au ministre de l'Intérieur dans lequel il se prononce pour le maintien du *statu quo* au motif que « la raison d'État s'oppose à la fusion » et que « rattacher la télégraphie à un autre ministère serait créer une source de conflits et affaiblir l'action du ministre de l'Intérieur[7] ».

À cette occasion, il est troublant de constater que les arguments employés par les deux directeurs sont parfois singulièrement opposés. Ainsi, Vandal affirme que « tous les États de l'Europe avaient réuni la Poste et le Télégraphe », tandis que de Vougy assure que « la Poste et le Télégraphe [sont] séparés dans tous les États de l'Europe » !

Le 13 mai 1864, lors de la discussion du budget du service télégraphique, l'affaire prend une tournure nouvelle. Une discussion très vive oppose les partisans et les adversaires de la réforme. Le ministre d'État, M. Rouland, déclare que le gouvernement ne prendra une décision à ce sujet qu'avec tous les éléments de décision en main. Dans ce but, une commission mixte est créée avec pour mission d'étudier la question et de donner son avis.

Moins d'un an après, en avril 1865, la commission, par l'intermédiaire de son rapporteur Leblanc, maître des requêtes au Conseil d'État, conclut que « la fusion est sans intérêt. La réalisation serait très difficile à concilier avec les exigences spéciales à chaque service et n'apporterait aucune économie sérieuse[8] ». Tout au plus, la commission reconnaît les avantages que présenterait la réunion des services postaux et télégraphiques dans les petites localités.

5. Ch. Rolland, Rapport à l'Assemblée nationale au nom de la commission des services administratifs. *JO* du 10 juillet 1872.

6. Mémoire de M. Vandal du 3 mars 1864, Arch. nat. 45 AP/21.

7. Mémoire de M. de Vougy du 25 avril 1864, Arch. nat. 45 AP/21.

8. Arch. nat., 45 AP/21.

Il est vrai qu'auparavant, deux membres de l'administration des Postes se sont retirés de la commission et que le directeur général des Lignes télégraphiques a fait de gros efforts de réorganisation pour atténuer les reproches.

Bien que l'idée de fusion des services postaux et télégraphiques ait été provisoirement abandonnée, elle va, à partir de 1865, faire inexorablement son chemin. Les dernières années du Second Empire voient la question revenir périodiquement dans les débats parlementaires. Ainsi, en 1868, Ernest Picard la remet à l'ordre du jour. De surcroît, l'administration des Lignes télégraphiques et son directeur, M. de Vougy, sont l'objet de vives critiques de la part des républicains, et notamment de Jules Ferry[9].

De plus, la fusion des deux services est de plus en plus considérée comme bénéfique par l'opinion publique à qui les journaux répètent que le Télégraphe et la Poste ne sont qu'une seule et même chose, étant tous deux chargés de véhiculer la pensée. Le public des campagnes comprend également que la réunion des bureaux postaux et télégraphiques améliorerait sensiblement sa vie quotidienne par l'accroissement des implantations, notamment télégraphiques, qui en résulterait fatalement. Enfin, le principe de la fusion s'appuie sur le fait que des économies seraient réalisées, ce qui est bien accueilli par le public. À la fin de l'Empire, les partisans de la fusion ne sont plus loin de voir leurs efforts couronnés de succès.

La dernière ligne droite

Il faut cependant attendre la chute du Second Empire pour que la situation se débloque. Certains, comme le député Rolland, ont vu dans l'obstination du gouvernement impérial à refuser la réunion des services télégraphiques à la Poste l'expression d'une des caractéristiques profondes du régime : « multiplier les fonctions publiques et les hauts emplois[10] » afin de récompenser ses partisans.

La guerre de 1870 et l'instauration de la République bouleversent les données. Le gouvernement de défense nationale place l'administration des Postes et l'administration des Lignes télégraphiques sous la direction unique du même haut fonctionnaire qui prend le titre de « directeur général des Télégraphes et des Postes ». Ce qui aurait pu être le prélude à une réunion totale des deux administrations ne dure que jusqu'au 1er février 1871, date à laquelle le gouvernement décide que les deux administrations demeureront distinctes.

---

9. Lors de la discussion du budget de l'administration des Lignes télégraphiques de 1871 (voté le 11 juillet 1870), soit moins de deux mois avant la chute de l'Empire.

10. Rapport à l'Assemblée nationale de M. Rolland au nom de la commission des services administratifs, *JO* du 10 juillet 1872.

Cependant, la même année, l'Assemblée nationale, nouvellement élue, décide de procéder à une enquête sur la situation de la France. Pour cela, elle forme huit commissions. L'une d'elles est chargée de rendre compte à l'Assemblée de l'état des communications postales et télégraphiques[11]. On retrouve à cette occasion le même antagonisme qu'en 1864 entre les Postes et les Télégraphes. Lors de la séance du 24 avril 1874, sont présents l'inspecteur Libon faisant office de directeur général des Lignes télégraphiques ainsi que le directeur des Postes, Rampont.

Comme sous le Second Empire, le directeur des Postes recommande « d'étudier très sérieusement la question de la réunion des deux services des Postes et Télégraphes, qui dans [s]a pensée produirait d'excellents résultats[12] », tandis que Libon fait ressortir les inconvénients de la fusion des deux services. Tout au plus reconnaît-il que cela serait possible dans les très petits bureaux (environ 160).

Malgré l'avis de Libon, la commission admet le principe de la fusion. Cependant, beaucoup de membres de la commission ont leur avis sur la question et les idées ne manquent pas en ce qui concerne le statut à donner aux services postaux et télégraphiques. Le président de la commission, M. de Tillancourt, est favorable à la création d'un ministère qui regrouperait les Postes, les Télégraphes et les Chemins de fer. Le général Pélissier serait partisan d'adjoindre à ce nouveau ministère les Ponts et Chaussées. Un autre membre de la commission met en avant la difficulté qu'il y aurait à enlever les Chemins de fer au ministère des Travaux publics. Il préconise plutôt l'absorption par ce ministère des Postes et des Télégraphes. Une autre idée consiste à ne créer qu'une simple direction générale. Enfin, M. Eschassériaux[13], rapporteur de la commission, est favorable à la création d'un ministère spécial des Postes et Télégraphes. Il estime en effet que la différence d'origine et de tendance des deux administrations (la Poste est une administration fiscale et le Télégraphe une administration politique) ne tarderait pas à amener des conflits. C'est pourquoi il préconise une direction unique, c'est-à-dire un ministère spécial[14].

11. Les autres commissions sont responsables des forces militaires, de la marine, des finances, des chemins de fer, routes, rivières et canaux, des départements envahis, de l'administration intérieure, du commerce général de la France. Cette liste prouve l'importance que revêtent les Postes et les Télégraphes pour les parlementaires de l'époque.

12. Procès-verbaux de la cinquième commission des communications postales et télégraphiques, séance du 24 avril 1871. Arch. nat. C 2874.

13. M. Eschassériaux était un des députés qui, en 1864, avaient défendu l'idée de fusion au sein de la commission du budget.

14. Procès-verbaux de la cinquième commission des communications postales et télégraphiques, séance du 3 juin 1871. Arch. nat. C 2874.

De toutes ces opinions, la commission va finalement trancher en repoussant la création d'un ministère spécial et en se prononçant pour la fusion. La commission vote finalement la réunion des Postes et des Télégraphes au ministère des Travaux publics[15]. Cependant, à la demande du gouvernement, la commission se borne à demander à l'Assemblée nationale de voter une fusion aussi minimale que possible.

Le 6 décembre 1873, l'Assemblée adopte la proposition de la commission et prescrit la réunion des deux services dans les bureaux d'ordre secondaire. C'est le début du processus de fusion qui va être réalisé en plusieurs étapes. Rattachés dans un premier temps au ministère des Finances (et placés dans les attributions du sous-secrétaire d'État aux Finances, Adolphe Cochery), les services des Postes et des Télégraphes sont finalement réunis au sein d'un ministère spécial des Postes et Télégraphes par un décret du 5 février 1879. Adolphe Cochery en est nommé ministre.

S'il a donc fallu près d'un siècle pour passer de l'idée de réunir les services postaux et télégraphiques à sa réalisation effective, c'est que tout le monde n'était pas favorable, loin s'en faut, à cette fusion. L'idée séduit le public, mais elle mécontente le personnel, tant celui des Postes que celui des Télégraphes, tout en divisant les économistes.

La fusion dans les faits

La réunion des deux administrations postales et télégraphiques au sein d'un même ministère est présentée comme économisatrice de deniers publics et source de simplification des services. Mais la fusion va également avoir une incidence considérable sur le principe même qui régit l'exploitation postale et télégraphique.

Des modalités d'application controversées

Dans ce dernier quart du XIXe siècle, il semble qu'une réforme postale soit nécessaire. En 1871, dans un ouvrage dédié au directeur général des Postes, un écrivain ne doute pas « qu'il est temps et grand temps qu'une vaste réforme s'opère dans le sens d'une économique simplification[16] ». Un peu plus tard, en 1873, un journal belge considère que, « de toutes les administrations postales du monde civilisé, l'administration française est assurément la plus arriérée ».

---

15. *Ibid.*

16. F. Aufauvre, *De l'avenir et de la fusion des postes et des télégraphes*, Paris, 1871, p. 47.

La fusion est également présentée par les journaux de l'époque comme extrêmement avantageuse pour le public par la simplification des services qui en résulterait, en même temps que très économique pour le Trésor. La réalisation d'économies au lendemain du désastre de 1870 est vue très favorablement par l'opinion publique et beaucoup d'hommes politiques de l'époque[17].

Mais « le côté technique et pratique a été, en général, laissé de côté[18] », ce que perçoit très vite le personnel. Déjà mal rémunérés, accablés de travail et peu considérés avant la réforme, les employés craignent, du fait des économies d'échelle annoncées, que leur sort ne fasse qu'empirer une fois qu'ils auront été réunis aux postes ou aux télégraphes. Pourtant, le ministre Cochery indique dans son rapport de 1884 que « les économies réalisées ont été immédiatement consacrées à augmenter les traitements du personnel[19] ». Il faut dire que cette augmentation était nécessaire ; par exemple, un directeur des Postes en 1879 dispose d'un salaire d'un tiers inférieur à celui d'un directeur des Douanes. La même différence se retrouve dans les emplois subalternes.

Cette situation tient au fait qu'à l'Assemblée nationale, il n'y a jamais de crédits pour les Postes et les Télégraphes, et ce, malgré les nombreuses déclarations et les vœux pieux des hommes politiques. Il est vrai, et ceci explique peut-être cela, que les postiers sont des mal-aimés dans la société de la fin du XIXe siècle. Issus de la classe ouvrière ou de la paysannerie, la bourgeoisie les méprise. Un peu plus tard dans le temps, à l'occasion des grandes grèves postales de 1909, Clémenceau ira même jusqu'à traiter les fonctionnaires en général de « déchets de la société ». Les postiers font l'objet des critiques adressées à tous les fonctionnaires : gaspillage, paresse, irresponsabilité.

Pourtant, et malgré les déclarations de Cochery, tous les employés sont loin de trouver que les économies réalisées par la fusion leur ont profité. Ainsi, un ex-employé des Postes indique que M. Cochery « s'occupa de régulariser notre situation ; il décida que nous serions augmentés tous les trois ans ; puis, dans une deuxième circulaire, il accorda que chaque facteur *pourrait*[20] être augmenté tous les deux ans. Le mot *pourrait* ne laissait rien à désirer au point de vue élasticité ; aussi [...] les augmentations se donnent selon le bon plaisir

---

17. Voir, dans ce sens, É.-E. Blavier, *Considérations sur le service télégraphique*, Paris, Rapport parlementaire, 1871, p. 1, qui indique que lors « de la discussion du budget du ministère de l'Intérieur pour 1872, [...] le député Delacour a appelé l'attention de l'Assemblée nationale sur la nécessité de former des Postes et des Télégraphes une seule administration [...], cette réunion devant, suivant l'honorable député, permettre de réaliser une économie d'au moins 4 ou 5 millions ».

18. *Ibid.*, p. 3.

19. A. Cochery, *Rapport présenté à M. le président de la République*, 4 mai 1884.

20. En italique dans le texte.

des gros bonnets administratifs[21]. » On s'aperçoit ici que les critiques du personnel vis-à-vis des salaires se rencontrent avec leurs critiques des « nouveaux modes de gestion » des services postaux et administratifs. Il est ainsi reproché à Cochery d'avoir donné une place trop importante à l'École polytechnique au sein du ministère des Postes et Télégraphes. La critique n'est pas innocente : le ministre n'a pas trouvé mieux que de nommer son fils Georges, polytechnicien, au poste de chef de cabinet dès les premiers jours de février 1879[22].

Les accusations de favoritisme et de népotisme ne tardèrent pas à fuser à l'encontre des Cochery père et fils. Vaughan affirme ainsi qu'« au ministère des Postes et des Télégraphes, rien ne s'obtient sans qu'une protection intervienne »[23]. Un autre auteur soutient que « le favoritisme prit tout à coup une extension inquiétante. Les Postes, le Télégraphe ne tardèrent pas à être transformés en officines électorales où, sans tenir compte des capacités, de la probité, les portes de l'administration furent ouvertes à tous les pleureurs, les quémandeurs, les plats valets qui avaient derrière eux l'appui des sénateurs ou des députés ministériels[24]. »

Un autre reproche souvent fait à la fusion et à son artisan, Adolphe Cochery, est celui de n'avoir pas tenu compte de l'avis des commissions établies en 1865 et 1871. Celles-ci préconisent seulement une fusion des étages inférieurs, alors que Cochery fusionne de haut en bas de l'échelle, plongeant, selon un auteur de la fin du XIXe siècle, « deux grandes administrations dans le plus affreux gâchis qu'il soit possible d'imaginer ». Pour beaucoup de membres du personnel, la réorganisation de Cochery se solde par un désordre indescriptible en 1878 et 1879. De ce fait, les adversaires de la fusion considèrent que celle-ci ne profite pas au public, car ni le service de la Poste, ni celui du Télégraphe n'en sont améliorés. La fusion ne profiterait pas non plus au Trésor car les dépenses auraient augmenté. Quant au personnel, du fait

21. J. Petit, *La Poste et le Télégraphe*, Paris, 1888, p. 8.

22. La nomination de Georges Cochery a été très vivement accueillie par certains pamphlétaires. L'un d'eux juge que « M. Georges – comme disent les gens bien stylés – est un Pic de la Mirandole. Sorti dans les derniers rangs de l'École polytechnique, où il était entré en octobre 1875 avec le n° 164, il pourrait être en ce moment modeste lieutenant dans quelque régiment d'artillerie ; par bonheur pour lui, son père, ayant décroché un ministère, en fit d'abord son chef de cabinet et, peu de temps après, l'éleva à la dignité de directeur du cabinet et du service central, afin de bien montrer à chacun qu'il est plus facile d'être directeur que simple employé ». E. Vaughan, *Maison Cochery et Cie*, Paris, 1883, p. 4.

23. *Ibid.*, p. 1.

24. J. Petit, *op. cit.*, p. 5. Cette opinion recoupe celle de Vaughan lorsqu'il affirme que « vous sollicitez quelque chose, on vous répond : amenez des députés ou des sénateurs ». E. Vaughan, *op. cit.*, p. 1 sq.

de l'absence d'économies réalisées, il ne voit pas son sort s'améliorer depuis la fusion des deux services. Un journal affirme même que « le service des Postes et Télégraphes est fait, en France, depuis l'avènement de Cochery père et fils aux affaires, d'une façon pitoyable qui, outre les désagréments et les pertes qu'elle nous occasionne, nous rend la fable de l'Europe[25] ».

Les partisans de la fusion sont, bien sûr, loin d'être aussi pessimistes. Tout au plus reconnaissent-ils que Cochery n'a pu mener à bien toutes les réformes souhaitées, cela principalement par manque de temps et à cause de moyens insuffisants. Cependant, la fusion reste considérée par ses adeptes comme ayant eu des résultats heureux du point de vue de l'exploitation. Ces résultats sont jugés moins heureux pour le personnel, « mais ils n'en sont pas moins réels » selon un auteur favorable à la fusion.

Une révolution dans les principes

Les raisons de la longue controverse relative à la réunion des services postaux et télégraphiques au sein d'un même ministère sont également à rechercher dans un conflit plus profond relatif au caractère du monopole postal et télégraphique. Car la création d'un ministère commun va occasionner une rupture avec la doctrine considérant que les monopoles présentent un caractère soit fiscal, soit politique.

Les Télégraphes, rattachés au ministère de l'Intérieur, furent de tout temps considérés comme un monopole politique, même après leur ouverture au public en 1851. La défense de l'ordre public en tant que justification de ce monopole fut d'ailleurs pendant très longtemps l'argument majeur invoqué par le ministre de l'Intérieur pour refuser toute réunion des services postaux et télégraphiques au sein d'une entité échappant au contrôle direct de son ministère.

Quant à la Poste, son histoire est plus longue. Elle est passée par deux âges avant la création du ministère : l'âge politique, puis l'âge fiscal. La création d'un ministère spécial des Postes et Télégraphes était perçue par beaucoup comme une rupture avec le caractère fiscal du monopole exercé par l'État.

En effet, du fait de la tutelle du ministère des Finances, l'administration des Postes fut longtemps assimilée à une régie fiscale repliée sur elle-même. Le constant souci de ce ministère avait été de tirer de la Poste tout le revenu qu'elle était susceptible de produire, mais il ne s'était que faiblement préoccupé d'améliorer les services, d'abaisser les tarifs, de renforcer les moyens d'action dans une mesure que le développement même du trafic rendait nécessaire. L'administration des Postes manqua toujours des moyens nécessaires à son action et ne put que suivre le progrès au lieu de le précéder.

25. *L'Intransigeant* du 14 juin 1882.

Il faut attendre la IIIe République pour qu'un fort courant d'opinion considère que l'exploitation de la Poste et du Télégraphe ne soit plus envisagée exclusivement d'un point de vue fiscal, mais dans l'intérêt des relations sociales et commerciales. En effet, les services postaux et télégraphiques ont une très grande importance puisqu'ils contribuent à multiplier les relations, à favoriser les affaires. La vie juridique elle-même dépend d'eux (transmission des droits, formation des contrats à distance, etc.). Selon ce principe, la Poste n'est plus seulement chargée de procurer des revenus au Trésor. Les services qu'elle rend au public sont d'une nature telle que leur importance prime, et de beaucoup, celle des profits pécuniaires[26].

C'est cette vision des choses qui anime les auteurs de la fusion des Postes et des Télégraphes. Le but de l'opération consiste à favoriser le développement d'un service essentiel au développement de l'économie nationale. Mais les tenants de la création du ministère des Postes et Télégraphes ne se sont pas aperçus qu'il ne suffit pas, pour la mettre au niveau des besoins, de transformer une administration en ministère distinct si les règles financières qui la régissent ne sont pas transformées. C'est pourquoi certains vont encore plus loin en demandant l'autonomie financière des Postes et Télégraphes par la voie d'un budget autonome. Cette recherche de procédés nouveaux d'exploitation est liée aux lacunes et défectuosités du service qui entraînaient des récriminations du public.

La création d'un ministère spécial est donc destinée à améliorer le service rendu au public. Le ministre Cochery considère ainsi que « les Postes et les Télégraphes ayant perdu tout caractère fiscal devront [...] augmenter, améliorer, perfectionner leur outillage, donner chaque jour davantage et sur un plus grand nombre de points satisfaction au public [...]. Le service postal peut être comparé à une usine qui produit à 20 % environ de bénéfice net[27]. »

Cochery estime que la fusion fait perdre aux Postes et aux Télégraphes tout caractère fiscal; dès lors, ceux-ci doivent suivre « les règles des exploitations industrielles [...], donner chaque jour davantage satisfaction au public, augmenter ainsi le chiffre de leurs affaires par l'accroissement de la circulation qui correspond directement au mouvement commercial du pays[28] ».

---

26. Ainsi, dans un rapport de 1890, le directeur général des Postes explique que « le commerce et l'industrie sont grandement intéressés au bon fonctionnement des Postes et des Télégraphes et à leur amélioration ». Il en conclut que « la mise en œuvre de rouages aussi essentiels au développement économique du pays ne doit pas être envisagée uniquement comme une source de revenus pour le Trésor ». J. de Selves, rapport présenté à M. le ministre du Commerce, de l'Industrie et des Colonies, p. 1.

27. A. Cochery, *op. cit.,* 4 mai 1884.

28. Ibid.

Cochery fait ici la distinction entre service public répondant à une préoccupation commerciale et service public de nature industrielle et commerciale. Le caractère fiscal dont parle Cochery renvoie à la doctrine de l'unité budgétaire grâce à laquelle le ministère des Finances bénéficiait des excédents de l'exploitation postale.

Avec la création d'un ministère spécial des Postes et Télégraphes, on peut croire que le monopole de l'État, de fiscal, va devenir industriel, c'est-à-dire commercial. Il n'en est rien. Le caractère commercial apparaît avec Cochery, mais très timidement et il lui survit très peu. Il semble que le monopole postal, même au sein d'un ministère spécial, ne puisse s'affranchir du caractère fiscal qui est le sien avant la fusion. Le fait que lors de la suppression du ministère, les services postaux et télégraphiques soient rattachés au ministère des Finances démontre bien l'omniprésence de ce caractère fiscal au détriment de l'aspect commercial de l'exploitation.

C'est peut-être là qu'il faut rechercher la raison pour laquelle Millerand peut encore stigmatiser en 1900, l'impuissance de la Poste à satisfaire le public et considère que la faute en revient à « l'impossibilité pour l'administration de disposer de l'excédent de ses recettes sur les dépenses[29] ».

Après tant de luttes et d'affrontements, la fusion est enfin réalisée, sous et grâce à la IIIe République. La grande victoire des partisans de la réunion des services postaux et télégraphiques réside, plus que dans la création d'un ministère spécial, dans le maintien, définitif à partir de 1879, de l'union des deux services au sein d'une même entité (ministère ou direction générale).

Mais ce ministère commun n'aura duré que huit ans. Dès 1887, ses adversaires obtiennent gain de cause : le ministère des Postes et Télégraphes est supprimé.

À partir de cette date, l'administration des Postes et Télégraphes sera ballottée entre de multiples ministères (Finances en 1887, Commerce et industrie en 1889, Travaux publics en 1909, de nouveau Commerce et Industrie en 1913, etc.), ce qui inspire ces propos désabusés à un témoin de l'époque : « Il faut qu'un arbre soit bien vivace pour ne pas souffrir de toutes ces transplantations successives. »

29. A. Millerand, « Rapport au président de la République sur les conditions de fonctionnement de l'administration des Postes et des Télégraphes », *JO* du 12 mai 1900.

Les chemins de fer italiens et la Malle des Indes

Michèle MERGER[1]

LA MALLE DES INDES : UN SERVICE PRESTIGIEUX MAIS DIFFICILE

Au début du XIXe siècle, la Malle des Indes, service de messageries entre l'Angleterre et son vaste empire des Indes, empruntait parfois la route du Golfe persique qui permettait de gagner Bagdad, Constantinople, Corfou, port d'où partaient les voiliers en direction de Lisbonne et de Falmouth[2], mais elle avait recours le plus souvent à la route maritime passant par le cap de Bonne-Espérance. Il fallait donc quatre à cinq mois pour se rendre aux Indes en suivant cet itinéraire et, dès 1823, pour réduire ces longues journées de voyage, l'Angleterre avait proposé, par l'intermédiaire du gouverneur de Bombay, d'établir un service de navigation à vapeur sur la mer Rouge. Cette première tentative fut vouée à l'échec et la seconde, menée trois ans plus tard, connut le même sort. Le projet de mettre en place un service plus rapide empruntant un itinéraire terrestre entre Suez et Alexandrie revient au lieutenant de la marine anglaise Thomas Flectern Waghorn. S'étant donné la mission de prouver le bien fondé de son projet, Waghorn a entrepris, au cours des années 1830, à la « manière du héros de Jules Verne[3] », une série de voyages entre l'Angleterre et Bombay qui l'ont conduit à transiter par Marseille, Gênes ou Trieste avant de gagner Alexandrie, Le Caire, Suez d'où il s'embarquait pour atteindre les côtes indiennes. Les autorités britanniques ne prenaient pas au sérieux ce « courageux voyageur[4] », mais sous l'impulsion d'un major de l'armée, Chesney, elles ordonnèrent deux enquêtes, menées

---

1. Chargée de recherche au CNRS, Institut d'histoire moderne et contemporaine.
2. Voir E. Di Nolfo, « Il problema delle comunicazioni tra India e Gran Bretagna prima dell'apertura del canale di Suez : l'Overland Route », *Economia e Storia*, avril-juin 1959, p. 230-232.
3. C. De Cugis, *Italia e Inghilterra un secolo fa*, Milan, 1968, vol. 1, p. 74.
4. L. Figuier, *Les Nouvelles Conquêtes de la science. Isthmes et canaux*, Paris, s.d., p. 20.

respectivement en 1834 et en 1837, afin d'étudier si l'isthme de Suez correspondait à l'itinéraire le plus adéquat pour le trafic postal et le trafic des voyageurs entre les deux mondes. Alors que la première n'aboutit à aucun résultat, la seconde entraîna l'établissement par la *Peninsular and Oriental Company* de Londres d'un service de navigation à vapeur régulier entre la capitale britannique et Alexandrie auxquels vinrent s'ajouter deux autres services, l'un en provenance de Marseille et l'autre en provenance de Trieste.

Le transit par l'isthme de Suez présentait d'énormes difficultés car il fallait parcourir 140 kilomètres dans le désert entre Suez et Le Caire. Les voyageurs couraient de nombreux risques. Ils devaient supporter pendant plus de quinze heures la forte chaleur et, pour reprendre des forces, ne disposaient que de maisonnettes sans eau ni arbre, construites le long de l'itinéraire et servant avant tout de relais pour les chevaux. Les diligences étaient montées sur de robustes ressorts et étaient dotées de roues à larges jantes afin d'éviter l'enfoncement dans le sable. La durée totale du voyage entre Londres et Bombay se trouvait ainsi considérablement réduite puisqu'elle n'atteignait plus qu'une trentaine de jours : un jour de Londres à Paris ; trois jours de Paris à Marseille ; quatre jours de Marseille à Malte ; quatre jours de Malte à Alexandrie ; trois jours d'Alexandrie à Suez ; quinze jours de Suez à Bombay [5].

Ce nouveau parcours donnait au commerce de la Méditerranée l'espoir de reconquérir une place éminente. Cet espoir était fondé car, dès la fin des années 1840, plusieurs centaines de personnes effectuaient chaque année ce long voyage. En outre, le transit par la Méditerranée revêtait une importance capitale non seulement pour les ports européens, mais aussi pour les voies de communication susceptibles d'attirer « une bonne partie du trafic voyageurs et marchandises dans les deux sens, entre l'Europe nord-occidentale et l'Asie [6] ». Aucun itinéraire terrestre n'était fixé sur le continent européen car il fallait tenir compte de la disponibilité des navires dans les ports. La Malle des Indes pouvait donc transiter par Gênes, Trieste ou Marseille. Mais, à partir de 1835, c'est surtout la cité phocéenne qui réussissait à l'accaparer grâce aux navires qui la reliaient de plus en plus fréquemment au port d'Alexandrie. En 1842, le premier service de transport combiné fut effectué par le *Bengalese*, un bateau indien qui était parti de Bombay avant d'atteindre Suez d'où une partie de son chargement fut dirigée vers Alexandrie avant d'être embarqué sur un navire autrichien qui arriva à Trieste le 2 février. C'est à partir de 1845 seulement que le service de voyageurs et celui des messageries transitant par

---

5. La poursuite du voyage jusqu'à Calcutta avec escale à Ceylan et Madras nécessitait treize autres jours ; voir B. Caizzi, *Suez e San Gottardo*, Milan, Cisalpino, 1985, p. 39.

6. G. Guderzo, *Vie e mezzi di comunicazione in Piemonte dal 1831 al 1861*, Turin, 1961, p. 21.

l'Égypte devint régulier. Dans son obstination à rechercher le parcours le plus rapide, l'infatigable Waghorn accomplit cette année-là un voyage qui lui permit de démontrer que l'itinéraire Alexandrie-Londres via Trieste, Mannheim, Cologne, Aix-la-Chapelle et Ostende était le plus court[7] et c'est la raison pour laquelle le gouvernement britannique décida de faire transiter, à raison de quatre voyages par mois, la Malle des Indes tantôt par Marseille, tantôt par Trieste, solution qui ne satisfaisait pas entièrement les autorités britanniques car elle permettait à la France et à l'Autriche d'exercer un contrôle.

Les projets et les espoirs italiens

Dans un tel contexte de crainte et de concurrence, l'apparition et le développement des chemins de fer contribuèrent à rendre encore plus intense la lutte entre les ports du bassin occidental de la Méditerranée et les multiples projets concernant le tracé des principaux axes situés entre la Manche et la Méditerranée. C'est au cours des années 1840-1860 que les polémiques entre les acteurs en présence (compagnies ferroviaires, États, intérêts maritimes) furent les plus vives car chacun d'entre eux chercha à nouer des alliances pour accaparer à son profit le passage de la Malle des Indes.

Dès la fin du mois de décembre 1841, le gouvernement autrichien avait fait connaître son intention de faire construire à partir de Vienne de grands axes en direction de l'Allemagne, de la Bavière, du Royaume lombard-vénitien et de Trieste. Certains contemporains estimaient que l'axe prioritaire à construire était la ligne Vienne-Trieste car, avec la possibilité « de voir le commerce des Indes reprendre la route de la Méditerranée, l'Adriatique deviendrait un anneau entre l'Asie et l'Europe et [...] Trieste obtiendrait l'avantage de tout le transit qui se dirigerait vers cette pointe maritime extrême et vers le nord[8] ». Les intentions autrichiennes ne laissèrent pas inactifs les autres États qui mesuraient eux aussi que la traversée des Alpes revêtait une importance capitale et qu'elle représentait plus que jamais « la clef d'une suprématie possible où les raisons commerciales devenaient fatalement des raisons politiques, des raisons d'État[9] ». Du côté de la péninsule italienne, ce sont sans aucun doute le comte Petitti de Roreto et le comte de Cavour qui réussirent le mieux à souligner l'importance stratégique que revêtaient cette question et la construction d'un réseau national. Carlo I. Petitti, qui était l'un des conseillers du roi

7. Le gain correspondait à deux jours de voyage. *Ibid.*, p. 22.

8. Article anonyme publié dans le *Giornale del Lloyd Austriaco*, 28 décembre 1841 et cité dans M. Di Francesco, *La Rivoluzione dei trasporti in Italia nell'età risorgimentale*, L'Aquila, Japadre éd., 1979, p. 108.

9. G. Guderzo, « La vicenda dei valichi nei secoli XVIII e XIX », in *Il Sistema alpino. Economia e transiti*, Bari, 1981, vol. 2, p. 87.

Charles-Albert, avait publié en 1845 un ouvrage qui faisait état d'un vaste programme ferroviaire pour l'ensemble de la Péninsule et qui reflétait l'état d'esprit des élites piémontaises de l'époque[10]. L'auteur faisait de Gênes le port naturel de toute l'Italie septentrionale et il affirmait que la Malle des Indes devait y transiter car le percement du tunnel du Mont-Cenis et celui du tunnel du Lukmanier étaient déjà envisagés. Un an plus tard, dans le célèbre article qu'il publia dans la *Revue nouvelle de Genève* en vue de commenter l'ouvrage de Petitti, Cavour soulignait à son tour le rôle de « pays relais » qu'était appelée à jouer l'Italie : « Sa position au centre de la Méditerranée la rendra incontestablement, lorsque la vapeur la traversera dans toute sa longueur, le chemin le plus court et le plus commode entre l'Orient et l'Occident. Dès que l'on pourra s'embarquer à Tarente ou à Brindisi, [...] l'Italie fournira également le moyen le plus prompt pour se rendre d'Angleterre aux Indes et en Chine[11]. » La même année, Waghorn élabora un vaste projet ferroviaire visant à relier l'un des trois ports de l'Adriatique (Otrante, Brindisi ou Ancône) à Milan, au Lukmanier, à la vallée du Rhin et à la Manche[12]. De telles propositions ne pouvaient que susciter à leur tour de vives réactions du côté autrichien car elles menaçaient directement les intérêts du port de Trieste. On reprochait aux projets de Pettiti et de Cavour de ne favoriser que les intérêts du Royaume sarde, en particulier ceux de Gênes, et de ne pas tenir compte du fait que la voie maritime Alexandrie-Trieste permettait de gagner 40 heures de voyage sur l'itinéraire Alexandrie-Gênes.

La perspective du percement du canal de Suez, qui devint de plus en plus certaine à partir des années 1854-1855, ne fit qu'accentuer les luttes d'intérêt de part et d'autre des frontières. En France, la construction de la ligne Paris-Marseille – projet d'inspiration saint-simonienne par excellence – suscita, dès la fin des années 1820, de nombreuses initiatives qui en ralentirent la réalisation. Le choix du tracé et la division des intérêts en présence conduisirent à de longues luttes et c'est en avril 1857 seulement que les trois compagnies en

---

10. Carlo I. Petitti, *Delle strade ferrate italiane e del migliore ordinamento di esse*, Capolago, 1845.

11. C. Cavour, « Des chemins de fer en Italie », *Revue nouvelle,* VII, 1er mai 1846 ; cet article est entièrement publié dans A. Salvestrini (dir.), *Camillo Cavour. Le strade ferrate in Italia*, Florence, La Nuova Italia, 1976, p. 58. Cavour affirmait ainsi que les chemins de fer ouvraient à la Péninsule « une vaste perspective économique » et qu'ils devaient « lui fournir les moyens de reconquérir la brillante position commerciale qu'elle [avait] occupée pendant tout le Moyen Âge ».

12. Waghorn est mort quatre ans plus tard sans toutefois avoir obtenu de la part du gouvernement britannique « qui le regardait faire sans s'intéresser autrement à sa tentative » une reconnaissance proportionnelle aux sacrifices qu'il avait faits ; il disparut en laissant sa famille dans la misère : tous les voyages effectués à ses risques et périls et devenus légendaires l'avaient ruiné ; voir L. Figuier, *Les Nouvelles Conquêtes...*, *op. cit.*, p. 20.

présence[13] fusionnèrent pour former le PLM. Cette année 1857 fut marquée également par le début des travaux de construction du tunnel du Mont-Cenis. Cet événement était le fruit de nombreux efforts déployés par le gouvernement de Turin. Dès 1849, le ministre des Travaux publics Luigi Des Ambrois avait chargé l'ingénieur belge Henri Maus[14] et le géologue Angelo Sismonda[15] de concevoir une liaison ferroviaire entre Bardonnèche et Modane en tenant compte des travaux de F. J. Médail qui, dès 1832, s'était intéressé à cette question et avait réussi à élaborer un projet définitif qu'il avait adressé au roi Charles-Albert en 1841. Dans le rapport qu'ils présentèrent en 1853, Maus et Sismonda se montraient favorables au tracé envisagé par Médail et suggéraient la construction de deux voies d'accès au tunnel : l'une par la vallée de l'Arc ; l'autre par la vallée de la Doire Ripaire. Cependant, par suite de la Première Guerre d'indépendance (1848-1849), le projet resta lettre morte et c'est au lendemain de l'ouverture sur toute sa longueur de la ligne Turin-Gênes (1853) que la question du percement des Alpes redevint l'une des préoccupations majeures du gouvernement sarde. Cette année-là, sous l'égide du banquier français Charles Laffitte, la Compagnie Victor-Emmanuel[16] fut créée : elle répondait aux attentes du gouvernement de Turin qui avait suggéré, un an plus tôt, la construction de la ligne Modane-Chambéry et de ses deux embranchements, le premier en direction de Genève et le second en direction de Lyon. L'État sarde s'engageait de son côté à participer à la création de la compagnie de la ligne Turin-Suse promue par l'entrepreneur anglais Thomas Brassey. Les difficultés financières des années 1854-1855 contraignirent la Compagnie Victor-Emmanuel à limiter ses ambitions : elle s'engagea à construire dans un premier temps le tronçon Aix-les-Bains-Saint-Jean-de-Maurienne qui fut ouvert au trafic en 1856. Les responsables turinois, et en particulier Cavour, reconnurent assez rapidement la nécessité de confier à une seule compagnie l'ensemble des lignes d'accès au tunnel de part et d'autre de la frontière et c'est la raison pour laquelle la ligne Turin-Suse lui fut rétrocédée. Enfin, en 1857, elle fusionna avec

13. La Compagnie Avignon-Marseille a été créée en 1843, celles des lignes Lyon-Avignon et Paris-Lyon, en 1846. Ces deux dernières ont connu de grosses difficultés qui ont remis en cause leur existence ; voir, à ce sujet, F. Caron, *Histoire des chemins de fer en France 1740-1883*, Paris, Fayard, 1997, p. 122-150 et p. 211-218.

14. H. Maus (1807-1893) était un ingénieur belge expérimenté qui avait été appelé en 1845 par le gouvernement sarde pour les travaux de construction de la ligne Gênes-Turin. Il s'était illustré en Belgique pour avoir mis au point un système de traction original sur le plan incliné de Liège.

15. A. Sismonda (1807-1878) était professeur de minéralogie à l'université de Turin depuis 1832. Ses travaux de recherche concernaient l'étude géologique de la vallée de Suse et du Mont-Cenis.

16. Les associés de C. Laffitte étaient des financiers piémontais et anglais, ainsi qu'A. Bixio, un ami de Cavour.

la Compagnie de la ligne Turin-Novare qui avait bénéficié depuis sa création de l'intervention de l'État. Le lancement des travaux de construction du tunnel du Fréjus à partir de cette année-là suscita de nombreux espoirs dans le Royaume sarde. Toutefois, l'œuvre à réaliser apparaissait gigantesque car jusqu'en 1861-1862, le percement fut effectué à la main et, en dépit de la mise au point par les ingénieurs Sommeiller, Grandis et Grattoni de machines perforatrices, l'achèvement des travaux n'eut lieu qu'en 1871. Par conséquent, aucune solution définitive ne put être adoptée au profit de Gênes avant l'Unité italienne.

Le transit de la Malle par l'Italie

Dès 1861, James Hudson, ministre plénipotentiaire représentant de l'Angleterre auprès du gouvernement de Turin, se rendit compte de l'importance que revêtaient les grandes lignes dont devait se doter le jeune Royaume et en particulier l'axe nord-sud à construire le long de la côte adriatique. « La ligne ferroviaire de Turin à Forlì sur l'Adriatique – écrivait-il en mai 1861 – sera ouverte en juillet avant d'être prolongée jusqu'à Ancône et inaugurée en décembre. Dans un premier temps, la Malle des Indes pourrait raccourcir son horaire de 22 heures et dans un second, de 32 autres heures. Dans deux ans, la ligne pour Brindisi sera achevée ou sur le point de l'être et cela entraînera une réduction de 50 heures pour la durée d'acheminement de la Malle [17] ». Le gouvernement italien ne resta pas inactif. Dès janvier 1862, par l'intermédiaire de son ministre des Travaux Publics Ubaldino Peruzzi, il envisagea de passer un accord avec l'armateur Charles Palmer de Newcastle afin d'établir un service maritime régulier entre la Péninsule et l'Égypte avec comme port d'attache Ancône puis Brindisi. La concession de la ligne adriatique fut l'objet d'une âpre lutte entre le banquier toscan Pietro Bastogi et la Compagnie des chemins lombards et de l'Italie centrale qui avait été créée en 1856 grâce aux Rothschild de Vienne et de Paris et au duc de Galliera, Raffaele de Ferrari. Les Rothschild souhaitaient contrôler les échanges commerciaux entre le Proche-Orient et l'Occident et c'est la raison pour laquelle ils voulaient obtenir la concession de cette ligne qui devait permettre à Brindisi d'être le port d'Europe occidentale le plus près des côtes égyptiennes et du canal de Suez alors en construction. Au nom de la défense des intérêts économiques du jeune Royaume italien, Bastogi réussit à s'opposer à ce dessein et à créer, en 1862, la Compagnie des chemins de fer méridionaux qui bénéficia de la concession de 1 347 km de lignes dont la plus importante était précisément celle qui devait relier

17. Lettre de J. Hudson adressée à Russell et datée du 3 mai 1861, cité dans C. De Cugis, *Italia e Inghilterra…*, *op. cit.*, p. 77.

Ancône à Brindisi et Otrante (740 km). Ce fut en avril 1865 que la ligne fut ouverte au trafic jusqu'à Brindisi.

Dès lors, une lutte s'engagea entre Paris et Turin. La France au nom des intérêts marseillais, prétendait que, pour atteindre Brindisi, l'allongement éventuel du parcours terrestre aux dépens de la route maritime Marseille-Alexandrie n'apportait aucun avantage. De son côté, l'Italie tentait de négocier le passage de la Malle des Indes sur son territoire en insistant sur le fait que la durée du voyage pouvait être écourtée de 3 jours et en s'efforçant de masquer l'insuffisance des installations portuaires de Brindisi. En octobre 1867, elle chargeait l'ingénieur Grandis d'une mission ayant pour but de dresser un bilan des travaux effectués dans le port afin d'éviter de produire « une mauvaise impression[18] » auprès des Anglais. Toutefois, ces efforts furent vains car, un mois plus tard, le gouvernement britannique annonça le renouvellement pour une période de douze ans du contrat passé avec la *Peninsular Oriental Company* pour le transport de la Malle, sauf si les avantages de Brindisi se révélaient être importants. Il semble bien que le jeune Royaume italien n'inspirait guère confiance car les capacités d'accueil hôtelières de la ville ne correspondaient pas aux critères de confort et de qualité exigés par les Britanniques. Les négociations entre le Foreign Office, le Postmaster General, les représentants du gouvernement italien et ceux de la Compagnie des chemins de fer méridionaux n'aboutirent à aucun accord avant l'ouverture du canal de Suez et ce fut la guerre franco-prussienne de 1870 qui accéléra le cours de l'histoire.

En effet, l'interruption des communications entre le nord et le sud de l'Hexagone entraîna pour la Malle des Indes la mise en place provisoire, en octobre 1870, d'un nouvel itinéraire terrestre au profit de la Belgique, de l'Allemagne, de la ligne du Brenner récemment ouverte au trafic (1867) et de la ligne adriatique. Au lendemain des hostilités, la Malle transita à nouveau par Marseille, mais la Compagnie des chemins de fer méridionaux réussit à obtenir l'instauration d'une Malle supplémentaire au profit de Brindisi. L'inauguration du tunnel du Mont-Cenis en septembre 1871 et sa mise en exploitation un mois plus tard anéantit définitivement les espoirs marseillais : la Malle principale pouvait transiter par Modane et Turin avant d'être dirigée vers Brindisi : le nouvel itinéraire permettait de gagner près de 40 heures de voyage. Pour le passage sur le territoire italien, le service était assuré par le réseau de la haute Italie et par celui des chemins de fer méridionaux. Chaque semaine, un train spécial partait de Brindisi pour atteindre Calais *via* Bologne, Modane, Villeneuve-Saint-Georges, Pierrefitte ; un train était également mis en service dans l'autre sens. Au lendemain de l'adoption des conventions

18. Rapport de Grandis sur le port de Brindisi, daté du 17 octobre 1867. Dans un article anonyme publié dans le quotidien toscan *La Nazione*, le 20 juin 1868, un journaliste évoquait « le faible pouvoir de persuasion des moyens offerts par l'Italie ».

ferroviaires de 1885, le transport de la Malle fut confié à la Compagnie des chemins de fer méridionaux chargée de l'exploitation du réseau adriatique et à celle des chemins de fer de la Méditerranée. Cinq ans plus tard, le service fut dédoublé : le transport des voyageurs fut séparé de celui des messageries et effectué par des trains plus confortables, plus rapides et comparables aux trains de luxe. Tous les vendredis soir, un train quittait la gare londonienne de Charing Cross à 21 heures et, après la traversée de la Manche, les voyageurs reprenaient un train qu'ils ne quittaient qu'à Brindisi où ils arrivaient le dimanche vers 17 heures. L'heure de départ du retour était fixée en fonction de l'arrivée du bateau en provenance de Bombay : de juin à septembre, celle-ci avait lieu le vendredi et les autres mois, le jeudi[19].

TRAFIC DE LA MALLE DES INDES : NOMBRE DE VOYAGEURS ET DE MALLES POSTALES AYANT TRANSITÉ PAR BRINDISI DE 1870 À 1884

Années	*Voyageurs venant de Brindisi*	*Voyageurs pour Brindisi*	*Malles postales venant de Brindisi*	*Malles postales pour Brindisi*
1870	84	107	559	1 295
1871	1 592	1 534	3 743	8 356
1872	2 145	1 714	3 895	9 229
1873	1 839	2 123	4 307	10 164
1874	1 670	1 218	4 442	10 084
1875	1 715	1 190	5 084	10 638
1876	1 285	1 054	4 743	11 261
1877	1 093	894	4 897	12 351
1878	1 031	1 040	5 035	13 156
1879	844	809	5 131	13 717
1880	1 075	995	9 240	23 764
1881	1 027	1 155	9 797	28 901
1882	737	1 154	10 339	32 634
1883	586	1 147	8 476	34 852
1884	590	527	12 427	43 103

Sources : pour les années 1870-1878 : SOCIETÀ PER LE STRADE FERRATE MERIDIONALI, *Risposte al questionario della Commissione d'inchiesta sull'esercizio delle ferrovie italiane*, Florence, 1879, p. 123 ; pour les années 1879-1884, *Monitore delle strade ferrate.*

19. Voir Ministero dei Lavori Pubblici. Reale Ispettorato delle strade ferrate, *Relazione intorno all'esercizio delle strade ferrate delle reti adriatica, mediterranea, sicula dal 1885 al 1900*, 2e partie, Rome, 1901, p. 79-80.

Au début des années 1870, le trafic annuel des voyageurs oscillait, dans chaque sens, entre 1 000 et 2 100 personnes, mais le trafic des malles postales était deux fois plus important dans le sens Bombay-Londres que dans l'autre sens. Quelques années plus tard, la structure du trafic n'avait subi aucune modification notable, mais le coût de transport de la Malle des Indes était devenu de plus en plus élevé[20]. Ce transport de transit ne procurait aucun bénéfice important aux compagnies de chemins de fer qui devaient laisser à la disposition de l'administration des Postes un wagon postal dont l'entretien était à sa charge. De leur côté, les compagnies recevaient de la part de l'État une compensation financière qui s'élevait à 2,50 lires par train/km et qui, à partir du 1er janvier 1900, passa à 3,50 lires par train/km.

En dépit de la faiblesse du trafic et de cette compensation qui apparaissait bien insuffisante par rapport aux coûts, le transport de la Malle des Indes demeurait avant tout et comme par le passé un service prestigieux et « une question d'importance politique[21] ». À ce sujet, et pour conclure notre propos, il n'est pas superflu de citer l'une des notes de voyage que le journaliste et romancier anglais Edmund Yates nous a transmises à propos du premier passage de la Malle à Brindisi : « En Italie, la teneur des discours prononcés lors du grand banquet présidé par le ministre des Postes italiennes peut être résumée à travers un seul exemple : le préfet de la province, entre acclamations et applaudissements sans fin, a affirmé que les deux principaux événements du XIXe siècle étaient l'arrivée du roi Victor-Emmanuel à Rome et l'arrivée de la Malle des Indes à Brindisi[22]. »

---

20. Il convient de préciser qu'à partir de 1884 une voiture de type Pullman et un wagon-lit furent ajoutés pour rendre plus confortable le transport des voyageurs.

21. « La Valigia delle Indie », article anonyme dans l'*Annuario scientifico ed industriale*, 1876, 2e partie, p. 951.

22. Cité dans C. De Cugis, *Italia e Inghilterra…*, *op. cit.*, p. 80.

La Poste en Normandie au XIXe siècle : personnels et réseaux

Sébastien RICHEZ[1]

Au sein de l'histoire de l'administration, l'histoire postale n'avait, jusqu'à présent, suscité que peu de travaux universitaires[2]. La raison en est peut être que les grands maîtres de l'histoire administrative ne l'ont pas clairement identifiée comme un des éléments prépondérants du changement de la société française au XIXe siècle[3]. C'est ce qu'atteste la lecture des actes du colloque sur « L'Histoire de l'administration française depuis 1800 » et notamment ce passage : « Celui qui tient en mains les gardes champêtres, les gendarmes, la police, les percepteurs et j'ajouterai les juges de paix, ces arbitres des usages locaux dans une France longtemps rurale, tient le pays, tient au moins un département[4] ». On n'y fait aucune mention du postier.

Il existe quelques remarquables exceptions. La première est l'œuvre de Guy Thuillier[5], qui bien que privilégiant l'étude des administrations centrales, traite de celle de la Poste au XIXe siècle. La seconde est la thèse d'histoire sociale de Dominique Bertinotti[6] sur les postiers sous la IIIe République. Citons

---

1. Docteur en histoire, université de Caen.

2. M. Le Roux, B. Oger, « Pour une histoire de La Poste aux XIXe et XXe siècles. Guide du chercheur », *Apostille*, numéro hors série, hiver 1998-1999, p. 13.

3. R. Thabaut, *Mon village. Ses hommes, ses routes, son école*, Paris, Presses de Sciences po, 1993 , p. 105.

4. L. Girard, « Histoire sociale et histoire de l'administration », in *Histoire de l'administration française depuis 1800. Problèmes et méthodes*, Actes du colloque organisé par l'EPHE le 4 mars 1972, Genève, Droz, p. 12.

5. Notamment G. Thuillier, *La Bureaucratie en France aux XIXe et XXe siècles*, Paris, Economica, 1987, p. 700-701.

6. D. Bertinotti-Autaa, *Recherches sur la naissance et le développement du secteur tertiaire en France : les employés des PTT sous la IIIe République*, thèse de doctorat d'histoire, université de Paris-I, 1984. Ce travail pionnier pour les personnels des Postes n'omet qu'une chose : les facteurs.

également les travaux de Pierrette Pézerat et Danielle Poublan ou de Dominique Bertinotti sur les femmes dans les Postes[7], les thèses d'Éric Blin et de Daniel Boueyre qui montrent que la Poste peut être envisagée sous un angle géographique ou sociologique[8].

En rupture par rapport aux synthèses institutionnelles, il faut aussi parler des thèses de doctorat d'Odile Join-Lambert et de Marie Cartier[9], de l'étude d'une branche du service par Benoit Oger[10], ou encore des travaux de Patrick Marchand ou de Rania Nakouri sur les usages et les personnels du transport postal[11]. Beaucoup de ces études ont un point commun : elles sont souvent axées sur l'extrême fin du XIXe et sur le XXe siècle.

Notre monographie régionale débute en 1830 et s'achève en 1914, couvrant ainsi un XIXe siècle postal durant lequel cette administration a connu presque toutes les réformes qui lui donneront son visage moderne. Le but est de découvrir, à l'échelle de la province de la Normandie, les modalités de développement et d'adaptation du service des Postes à travers ses infrastructures et ses personnels. Cette étude a une triple entrée – l'histoire de l'institution, l'histoire du fonctionnaire, l'histoire de la décision administrative et de son destin[12] – grâce au croisement d'une base d'archives large et diversifiée. Au cours du XIXe siècle, la Poste, dans son organisation et ses personnels, présente ces trois aspects que sont l'archaïsme, l'adaptation et l'innovation.

Pour être cohérente, cette étude doit être menée sur trois plans complémentaires grâce à des sources qui, en raison de certaines lacunes, doivent être croisées.

---

7. Par exemple P. Pézerat et D. Poublan, « Femmes sans mari, les employées des Postes », *Madame ou Mademoiselle*, 67, 1984, p. 117-162.

8. É. Blin, *La Localisation des services publics : l'aménagement du réseau postal en Seine-Maritime*, thèse de géographie, Rouen, 1993 ; D. Boueyre, *Le Personnel des PTT face aux nouvelles technologies. Perspectives de recrutement et évolution du corps*, thèse de sociologie, université de Paris-V, 1982.

9. O. Join-Lambert, *Le Receveur des postes, entre l'État et l'usager (1944-1973)*, Paris, Belin, 2001 ; M. Cartier, *Des facteurs et leurs tournées. Une élite populaire dans la France de la seconde moitié du XXe siècle*, thèse, F. Weber (dir.), EHESS, 2002.

10. B. Oger, *La Caisse nationale d'épargne : origines, enjeux, développements (1861-1914)*, thèse d'histoire économique, M. Margairaz (dir.), université de Paris-VIII, 2002.

11. P. Marchand, *Les Maîtres de Poste aux XVIIIe-XIXe siècles, histoire du transport public*, thèse d'histoire en cours, université de Paris-I ; R. Nakouri, *Les Ambulants et l'acheminement postal entre 1945 et 1995*, DEA d'histoire, université de Lyon-III.

12. G. Thuillier et J. Tulard, *Histoire de l'administration française depuis 1800..., op. cit.*, p. 113.

Histoire de l'institution au niveau de la province : les Postes comme élément d'acculturation

La prise en compte du régime politique est fondamentale dans l'étude postale. Il est indispensable de mesurer en province les traductions de la politique postale [13] d'un régime. Étienne Arago, en 1848 [14], montre implicitement le poids majeur de la hiérarchie postale et de ses éléments d'implantation en vue de l'encadrement du pays : « Nous avions compris que les positions les plus périlleuses en temps de révolution sont celles de préfet de police et de directeur général des Postes, par la première, on tient Paris, par la seconde, on parle à tous les départements. » L'approche régionale doit nous permettre de saisir concrètement les modalités d'installation du service à travers des considérations politiques, économiques, démographiques et géographiques.

La représentation de l'État est amplifiée grâce à ce nouveau vecteur que sont les Postes. Les employés (les facteurs ruraux notamment), les bureaux et les boîtes aux lettres s'étendent progressivement sur le territoire selon une vague logique, d'abord le bureau puis les boîtes aux lettres et les facteurs ruraux. Les Postes seraient une manifestation supplémentaire de l'État au village, diffusant avec elles une nouvelle culture, une nouvelle pratique. Quelle est leur part dans le rôle d'« instituteur social [15] » de l'État ? Les postiers apparaissent comme des médiateurs entre les sociétés rurales et les « sociétés englobantes » (R. Hubscher). Ils s'installent parmi des notables locaux déjà en but à des querelles de clocher et se présentent souvent comme le quatrième protagoniste des luttes traditionnelles [16] impliquant le maire, l'instituteur et le curé.

Les Archives nationales et institutionnelles ne permettent pas seules d'aborder ces problématiques ; elles ne révèlent pas toute la réalité de la vie et de la perception d'une administration. Les archives locales, elles, à travers les séries départementales P, M et Z, développent toute une série de rapports, d'enquêtes, de renseignements et d'anecdotes sur la Poste au quotidien.

13. L'*Annuaire des Postes* pour l'étude de l'implantation des bureaux et la série N des archives départementales pour les rapports des préfets et des chefs de service sur l'état réelle du fonctionnement des Postes.

14. B. Laurent, *Postes et postiers*, Paris, Douin, 1922, p. 16.

15. P. Rosanvallon, *L'État en France de 1789 à nos jours*, Paris, Le Seuil, 1989, p. 95-135.

16. M. Agulhon (dir.), *Les Maires en France du Consulat à nos jours*, Paris, Publications de la Sorbonne, 1986, p. 13.

Histoire du fonctionnaire des Postes

De nombreuses études sur les fonctionnaires ou les agents administratifs (instituteurs, maires), ou d'autres branches professionnelles (ouvriers, mineurs, cheminots ou employés du gaz) permettent de relever des thèmes communs avec les postiers : le recrutement, les salaires ou les conditions de travail. La comparaison est utile pour éviter de conclure à l'unicité endogène de la Poste. Les métiers de pompier, de douanier ou de gendarme sont comparables en bien des points à celui de postier.

On peut envisager sous une double approche qualitative et quantitative afin de s'intéresser à trois aspects du métier de postier : les postiers compatriotes de leurs administrés ; les postiers issus du même milieu social ; les conditions de vie identiques à celle des autochtones. La première approche permet une histoire des représentations des postiers au travail, de ces agents de l'État, indépendants dans leur recrutement et leur rémunération, soumis à un serment professionnel et politique (supprimé sous la IIIe République) et qui portent l'uniforme. La seconde est une étude statistique qui s'opère d'après les sources sérielles que sont les dossiers de personnels à l'échelon national[17] et les avis de nominations de facteurs à l'échelon départemental[18].

Histoire de la décision administrative et de son destin

La Poste a été une grande productrice de règlements, de circulaires et d'enquêtes. Bien que toutes n'aient pas été conservées, c'est à partir de ces sources internes[19] que l'historien, en les confrontant aux archives manuscrites locales[20], peut mener une enquête différentielle mesurant l'écart sur le terrain entre la règle et la pratique et mettre en lumière la naissance au XIXe siècle de pratiques qui définiront la Poste du nouveau siècle. Les deux éléments sont en fait liés. La distribution du courrier, pratique atemporelle, a traversé les époques selon deux modalités toujours en vigueur aujourd'hui : le facteur n'a pas le droit d'effectuer la distribution ailleurs qu'au domicile du destinataire et ne peut relever de main à main les plis à expédier. Manœuvres proscrites en théorie par les règles élémentaires de sécurité au cours de la distribution[21], elles appartiennent pourtant à une coutume de travail ancrée dans la culture du

---

17. Arch. nat., Caran, F90 20 511 à 20 530. Concernent avant tout les receveurs, commis, auxiliaires et surnuméraires.

18. Arch. dép. Orne, P 650 ; Arch. dép. Eure, 333 P 2 ; Arch. dép. Seine-Inférieure 6 PP 53, 6 PP 58. Concernent les facteurs.

19. Cf. l'*Instruction générale sur le service*, le *Bulletin mensuel des Postes*, ou l'*Annuaire des Postes*.

20. Arch. dép. Séries M, P et Z.

21. M.-P. Paris, *Instructions générales sur le service des Postes*, 1832.

métier et participent à l'élargissement du contenu de service public, dans son sens premier où le facteur rend service. Cela illustre entre autre la distorsion entre la décision administrative et son destin sur le terrain.

Dans une étude nationale[22] de *l'Enquête postale de 1847*, source conservée à la Bibliothèque nationale, Roger Chartier et son équipe se sont penchés sur les raisons de cette enquête : ils ont notamment prouvé combien les Postes étaient un miroir de la société française au XIXe siècle. Mais ils ne répondent qu'en partie aux regrets, formulés en 1975 par Alain Corbin[23], premier historien à s'être intéressé à cette source et placé dans l'incapacité de comparer le trafic postal du Limousin avec celui d'autres régions. Une reprise de cette enquête pour la Normandie offre une possibilité de comparaison. De même, une nouvelle lecture de cette source en étudiant les boîtes aux lettres éclairc sur la présence postale au plus près de la population ainsi que sur les pratiques religieuses et/ou laïques des Normands[24]. Les premiers résultats montrent que dans l'Orne, 30 % des boîtes aux lettres rurales sont installées à proximité du pôle religieux du village (église, cimetière, presbytère) contre seulement 6 % en Seine-Inférieure ; 27 % ont un emplacement « laïc » (mairie, école, perception) dans la Manche contre 9 % dans l'Orne ; dans les cinq départements, la position de la boîte au mur d'un immeuble particulier est majoritaire.

Cette histoire différentielle trouve une bonne expression à travers les enquêtes postales. On connaît celle de 1847, qui n'a d'exceptionnelle que sa conservation intégrale[25]. Mais tous les cinq ans au moment du recensement, la Poste procédait à l'évaluation du total des correspondances distribuées dans chaque commune pendant quinze jours. On connaît moins « l'Enquête postale de 1921 », et pour cause, car il n'est avéré, à ce jour, aucune autre conservation d'enquête. Celle de 1921, dont le musée de La Poste de Caen possède quelques dossiers concernant 52 communes de l'Orne, traite uniquement des chiffres du trafic postal. La comparaison des deux enquêtes pour ces 52 communes brosse un tableau encore jamais peint de l'évolution réelle du trafic postal. Les premiers bilans sont parlants. Malgré une chute de population de 47 % en 54 ans, le trafic a connu une augmentation de 1 510 % !

---

22. R. Chartier (dir.), *La Correspondance. Les usages de la lettre au XIXe siècle*, Paris, Fayard, 1991.

23. A. Corbin, *Archaïsme et modernité en Limousin au XIXe siècle (1845-1880)*, Paris, Marcel Rivière, 1975, p. 146.

24. L'*Enquête postale de 1847* mentionne précisément l'endroit où est installée la boîte.

25. BN, site Richelieu, 343 volumes classés par département : Calvados Ms Fr 9 829 à 9 834 ; Eure Ms Fr 9 880 à 9 885 ; Manche Ms Fr 9 969 à 9 974 ; Orne Ms Fr 10 021 à 10 024 ; Seine-Inférieure Ms Fr 10 090 à 10 094.

On est passé d'une moyenne de 215 lettres par an pour 100 habitants en 1847 à 3 163 lettres en 1921.

L'approche régionale permet de s'appuyer sur des sources précises et originales qui donnent un éclairage neuf à propos de thèmes nationaux souvent insuffisamment étudiés.

Archaïsme, adaptation et innovation des métiers de la Poste

L'histoire administrative implique une méthode régressive. L'historien, remontant du présent au passé, utilise l'expérience actuelle pour ébaucher sa grille d'interprétation. De cette position, il peut étudier les trois aspects que la Poste, dans son paradoxe, a su faire coexister – sans que l'un succède à l'autre en une suite logique.

Un archaïsme flagrant : des conditions de travail extrêmes

Dépositaire de l'unique moyen de communication à distance entre les gens[26], moyen qu'elle tente d'intégrer dans les usages de la population, la Poste s'est incontestablement montrée moins inspirée et dirigiste en ce qui concerne les conditions de travail de ses agents ; celles-ci s'inscrivent dans la norme des pratiques professionnelles populaires du temps. Le métier est plus ou moins pénible selon le grade, et le facteur n'est pas favorisé à cet égard par rapport à l'artisan, l'ouvrier ou le manœuvre agricole. Les Postes condensent tous les maux et les difficultés du monde industriel et de celui des bureaux en plein essor.

Le bureau de poste peut être qualifié « d'usine postale ». Le terme n'est qu'à peine exagéré pour bien saisir les conditions d'exécution du service. Dans la plupart des bureaux ruraux répandus sur le territoire, les locaux sont bien souvent trop étroits, humides, mal éclairés, insuffisamment aérés et surtout insalubres. C'est globalement le triste bilan que tire le sous-secrétaire d'État des P&T en 1912[27]. Ne peut-on se demander si ce tardif constat ne cache pas une situation qui aurait perduré à grande échelle depuis le premier tiers du XIXe siècle ? Le silence des sources exclut de tirer davantage de conclusion. On retrouve dans cette description des éléments bien connus dans l'historiographie industrielle du siècle, même si la Poste est une administration appartenant au secteur tertiaire. Tout comme les banques, les bureaux

26. Le télégraphe électrique, à partir du moment où il supplante le télégraphe Chappe dès le milieu du XIXe siècle, n'est pas d'emblée ouvert au grand public : il faut attendre 1872 pour que quelques bureaux ouvrent ce service au public.

27. « Circulaire du 15 décembre 1911 relative aux locaux des recettes simples et des établissements de facteur-receveur », *Bulletin mensuel des P&T*, janvier 1912, p. 20.

de poste doivent faire face à des impératifs de sécurité : barreaux aux fenêtres, grillages entre les employés et le public et verrous aux portes sont obligatoires.

Dans ces bureaux travaillent divers employés. Le receveur y réside, tenu d'ouvrir son service toute l'année au public pendant au moins dix heures consécutives, six heures les dimanches et jours fériés. Mais il est aussi tenu d'accueillir les courriers-convoyeurs « arrivant dans la nuit ou de grand matin[28] » et de superviser le tri des facteurs dès 6 heures du matin, ce qui représente de longues journées d'activité de 14 à 16 heures. Dans la pratique, on est loin de la loi du 9 septembre 1848 limitant la journée de travail à 12 heures et on retrouve des chiffres similaires à ceux annoncés par Delphine Gardey[29] dans ses recherches sur les employés de bureau. Agent sans horaires, le plus souvent enfermé dans un espace malsain, le receveur paye un lourd tribut, tout comme le commis, l'aide ou encore l'employé, à ces conditions de travail : 30 % abandonnent leur poste pour une cause (décès, maladie, mise en disponibilité, démission) autre que le déroulement de la carrière ou les aléas disciplinaires[30].

Le facteur fréquente le bureau pour le tri et le retour de tournée, mais son domaine d'action se situe en plein air, et par tous les temps, sans journée de repos avant la loi du 13 juillet 1906. À la notable exception qu'il travaille surtout en extérieur, le facteur rural a plus de points communs avec l'ouvrier, bien décrit par Denis Woronoff[31], qu'avec le rond-de-cuir. Il doit associer force physique et effort de mémorisation. Son travail est dangereux (brigands, variations climatiques), pénible (22 kilomètres quotidiens en moyenne en 1830, 27 kilomètres en 1887, la charge de courrier à transporter varie jusqu'à 10 kg dès que le trafic explose au cours des années 1860), machinal ou répétitif (le tri puis la tournée), et surveillé (le brigadier-facteur est le contremaître postal). Le facteur paye également son tribut à de telles conditions de travail : en 1879, 23 % des vacances de poste en Seine-Inférieure sont dues à des abandons de fonction (décès, démission, mise en disponibilité)[32].

---

28. Arch. nat., Caran, AD XIX m6, *Instructions concernant la tournée d'inspection des établissements de Poste aux lettres*, mai 1838.

29. D. Gardey, *Un monde en mutation. Les employés de bureau en France en 1890-1930. Féminisation, mécanisation, rationalisation*, thèse de doctorat d'histoire, université de Paris-VII, 1995, p. 69-72.

30. Arch. nat. Caran, F90 20 511 à 20 530, *Feuilles de personnels des P&T nés entre 1836 et 1865*. Chiffre calculé d'après un échantillon de 290 individus nés et recrutés en Normandie.

31. D. Woronoff, *Histoire de l'industrie en France du XVIe siècle à nos jours*, Paris, Le Seuil, 1994, p. 292.

32. Arch. dép. Seine-Maritime, 6 PP 53, *Nomination de facteurs 1865-1885*. Chiffre obtenu d'après un échantillon de 163 facteurs.

Tous ces éléments soulignent l'archaïsme de la Poste. Aussi novatrice soit-elle dans d'autres domaines, notamment dans son effort pour accélérer l'acheminement du courrier en s'adaptant aux moyens de transport contemporains, la Poste n'a pas démontré sa capacité à instaurer des métiers dotés de conditions de travail dignes de l'image de prestige et de promotion sociale qu'elle représente. Au mieux, les autorités harmonisent et améliorent le travail de leurs employés selon le rythme des revendications et des plaintes, soit au compte-gouttes.

Une adaptation forcée : la légitimation de l'emploi d'aide

L'administration des Postes est néanmoins capable de dépasser ses contraintes de fonctionnement pour répondre aux nécessités incontournables que lui rappelle le service au quotidien. La catégorie d'emploi d'aide des Postes illustre parfaitement ce phénomène.

Le terme se décline au féminin aussi bien grammaticalement que professionnellement. En effet, c'étaient surtout des jeunes femmes, âgées de 14 à 20 ans, qui occupaient cet emploi. Recrutées selon le bon vouloir du titulaire du bureau, elles ne subissaient aucun examen sur leurs compétences, le choix seul du receveur étant souverain. Ce dernier choisissait dans le cercle familial (filles, fils, nièces étaient privilégiés), ou encore dans l'entourage amical. L'occasion était ainsi bonne pour le receveur, encouragé par l'administration, de se créer un réseau de relations en faisant miroiter aux familles en vue du village la possibilité d'offrir à leurs enfants un débouché professionnel. Pourquoi les femmes y sont-elles les plus représentées ? D'abord parce que, dans le sillage de la forte présence des femmes à la tête des bureaux de poste les moins importants, ces jeunes aides espéraient à terme atteindre le grade de receveur en succédant, par exemple, à la titulaire. Ensuite parce que l'administration, dans le contexte d'un secteur tertiaire où les femmes ont des salaires inférieurs à ceux des hommes, utilise cette voie dont le coût est peu élevé pour elle.

C'est en 1856, pour la première fois, dans l'*Instruction générale,* que l'administration des Postes mentionne la catégorie des aides parmi les 21 grades qui composent son personnel. On y lit : « Aides : agréés par l'administration, aident les directeurs dans les petits bureaux ».

Difficile d'en faire une définition plus succincte : les autorités postales de l'époque ne se soucient guère de ce grade, qui n'appartient même pas à la plus basse catégorie de personnel chargé de l'exécution du service, celle des « sous-agents[33] ». Tout au plus veut-on bien attribuer à l'aide le titre plus

33. Les sous-agents regroupent principalement tous les types de facteurs, les garçons de bureau et les boîtiers.

administratif « d'assistante autorisée auprès de la receveuse », mais cela ne doit pas cacher sa situation réelle : « Les aides, auxiliaires, gérants, intérimaires sont tous un personnel précaire voué au soutien permanent ou ponctuel ou encore au remplacement des receveurs et distributeurs[34]. »

Ce n'est pas un hasard si la question des aides commence à être abordée officiellement par les instances postales au moment où Édouard Vandal, en 1867, annonce « la présence d'une marée qui menace de submerger le service[35] ». La création d'un service de distribution rurale effectuée tous les deux jours en 1830, puis quotidiennement de façon concrète en 1864, tout comme l'apparition du timbre-poste en 1849, commencent à faire sentir leurs effets sur le trafic postal dans les années 1860, dans un contexte de prospérité économique. Jusque-là, les structures du service étaient suffisantes pour assurer le transit d'une circulation épistolaire en sommeil : son brusque réveil surprend l'administration, qui sera débordée durant près de 25 ans et qui trouve dans la fonction d'aide une heureuse roue de secours.

Pendant cette période, les aides ont été un bon alibi pour les Postes dans leur lutte contre un service postal toujours plus lourd : ce personnel était gracieusement autorisé à intervenir auprès des receveurs ruraux écrasés de travail, et la direction des Postes se donnait bonne conscience en accordant à ces agents une indemnité annuelle pour couvrir les frais occasionnés par l'aide. Les receveurs touchaient une somme appelée « frais d'aide » oscillant couramment autour de 100 francs annuels, destinée en principe à payer une heure de service par jour pendant l'année.

Malheureusement, la théorie de l'administration des Postes a volé en éclats devant la réalité de la tâche attendant les aides. Elles ont rapidement effectué plus que l'heure journalière indemnisée et sont devenues bien souvent indispensables aux titulaires de nombreux bureaux ruraux. Si bien que la somme de 100 francs est apparue ridicule pour les rémunérer. La pratique du logement chez le titulaire, qui fournissait le gîte et le couvert à son aide, s'est généralisée pour palier cette précarité, mais elle a entraîné des dérives. Les aides portent non seulement le tablier gris du travail de manipulation du courrier, du tri et du service au guichet, mais également celui plus blanc de femme de chambre ou de ménage, de cuisinière ou de nourrice. C'est pourquoi au trop académique surnom de « sous-officier du régiment des Postes[36] » on préférera le qualificatif de « domestique des Postes », qui reflète mieux la double fonction de ces femmes.

34. Cf. *Instruction générale des Postes*, Paris, 1856.

35. É. Vandal, « Rapport sur l'état du service des Postes », *Annuaire des Postes*, 1867, p. 50.

36. G. Abert, « Les dames de la Poste… autrefois », *L'Amicale philatélique lyonnaise*, La Roche-sur-Yon, 23, juin 1984, p. 43-48.

Innovation improbable : la création du métier de facteur rural

L'innovation est certainement un des aspects les plus intéressants pour l'historien des Postes qui peut évaluer la capacité de l'organisation à intégrer le progrès. L'administration des Postes en a indéniablement fait la preuve : la création du service de distribution rurale en 1830, qui instaure le facteur, ce « marcheur de l'impossible », sillonnant le territoire, est une des grandes révolutions qui s'est accomplie dans le paysage français (avant celle du rail).

L'innovation ne réside pas dans le fait d'envoyer des hommes sillonner le pays pour distribuer la correspondance. En effet, il existe depuis l'an IX des messagers d'arrondissement[37]. Leur tâche consiste « à porter aux maires de toutes les communes de l'arrondissement, celles des six bureaux de poste exceptées, les lois, la correspondance et les paquets de la sous-préfecture et d'y rapporter les dépêches des maires. Leurs courses ordinaires ont lieu régulièrement une fois par semaine ; l'éloignement et l'étendue de la plupart des cantons exigent de leur part deux à trois jours de marche[38] ». Il y a un piéton par canton dans tout le pays, plus un attaché à chaque sous-préfet. Au service unique des fonctionnaires de l'administration, ils n'appartiennent pas aux Postes et sont rémunérés grâce à une taxe perçue sur les communes. Il existe donc en France, en plus des facteurs attachés aux bureaux de poste implantés dans les communes et appartenant à l'administration des Postes, des messagers qui œuvrent dans tout le pays, entretenus par et pour l'Administration au sens large.

L'innovation vient du fait que le service des Postes aux lettres crée, sous son contrôle, un système hybride à partir de ces deux organisations. Au regard de la réalité du trafic postal en 1830, on s'interroge encore sur les motivations du pouvoir central à initier ce service. Le coût en est faramineux, 1/6e des dépenses pour 1830[39], quand la productivité est minime. Astreints en moyenne à 22 kilomètres journaliers, les facteurs ne transportent alors en contrepartie que 56 objets (lettres, journaux et imprimés) : ils marchent à vide… jusque dans les années 1870 ; précisément en 1877, pour 27 kilomètres en moyenne par jour, ils transportent 121 objets de correspondance. S'il s'agissait d'acheminer plus rapidement les correspondances administratives (10 % du trafic total en Normandie en 1847), il suffisait d'augmenter le nombre de piétons. S'il s'agissait de réduire le nombre de lettres tombées au rebut en les apportant auprès de la population, il aurait d'abord fallu créer le timbre 18 ans plus tôt afin de supprimer la pratique dissuasive du destinataire payeur.

---

37. On les nomme également piétons ou facteurs d'arrondissement.

38. Arch. dép. Seine-Maritime, 6 PP 81, *Postes, piétons et messageries 1801-1832.*

39. Arch. nat. Caran, F90 20 201, *Analyse et table des matières des délibérations du Conseil des Postes 1824-1846.*

Innovation monumentale pour l'époque – il s'agit d'instaurer 5 000 facteurs ruraux au lieu d'un seul agent par canton –, on devine à l'arrière-plan de l'élaboration de ce service rural une influence saint-simonienne avant-gardiste. Car la distribution du courrier tous les deux jours dans toutes les communes rurales de France n'est d'abord utile qu'à la classe négociante et commerçante ainsi qu'aux fonctionnaires ou aux notables censitaires auxquels les lois municipales et électorales de 1831, ou départementales de 1833, ont donné un surcroît d'activité. À ce propos, rappelons avec Roger Chartier[40] que 8 à 9/10e des lettres échangées alors étaient des lettres d'affaires.

Les Postes ont incontestablement une trentaine d'années d'avance sur la pratique épistolaire en France. Elles instaurent dès 1835 un nouveau fonctionnaire dans le paysage français, un agent en uniforme, qui vient rejoindre le gendarme dans son activité de poids auprès de la population du fait de la tournée quotidienne à laquelle ils sont astreints. Le gendarme est un « instituteur de la loi[41] », le facteur rural est un symbole de l'État comme « instituteur social[42] ». L'administration met à la disposition des Français le service qui représente l'unique moyen pour eux de communiquer à moyenne et longue distance : le facteur rural est un élément d'acculturation, un initiateur de la pratique épistolaire encore largement étrangère à une grande partie de la population.

L'ouvrage déjà cité d'Alain Corbin[43] a servi de catalyseur à notre projet de recherche. La réussite de cette histoire totale sous l'angle de la monographie régionale n'a fait que conforter l'opinion que ce genre historiographique n'est pas désuet. Le professeur Yves Lequin ne rappelait-il pas encore il n'y a pas si longtemps[44] « la nécessité de soutenir les monographies régionales qui devront être rassemblées au sein d'une étude globale », appelant ici de ses vœux un principe de l'histoire administrative applicable à la Poste : l'histoire de cas. Mon travail cherche à s'inscrire dans cette lignée de travaux.

La Poste, terme unificateur et global, cache dans la réalité une diversité de métiers et de comportements qui s'affirment tout au long du XIXe siècle, c'est ce siècle qui a construit le visage moderne de cette entreprise publique telle qu'on la connaît aujourd'hui, de cette « exploitation bienfaisante d'hier[45] »,

---

40. R. Chartier (dir.), *La Correspondance…*, *op. cit.*, p. 19.

41. J.-N. Luc, *Méthodologie de l'histoire de la gendarmerie au XIXe siècle*, séminaire de recherche, université de Paris-IV-Sorbonne, 26 octobre 1999.

42. P. Rosanvallon, *L'État en France…*, *op. cit.*, p. 93.

43. *Supra,* p. 113, note 25.

44. M. Le Roux, « Histoire de La Poste, bilan et nouvelles approches », in *Vingtième Siècle*, avis de recherches, 59, 1998, p. 151.

45. É. Vandal, « Rapport sur l'état du service des Postes », art. cité, p. 50-52.

successivement régie fiscale et service public. Certes, ces changements sont connus à l'échelon du pays, mais le cadre régional permet d'en saisir la réalité en prise directe, en suivant au plus près l'adaptation et le développement d'une administration et de ses fonctionnaires. Il permet de redécouvrir des aspects de l'histoire postale gommés dans le cadre national.

Aux origines de la Caisse nationale d'épargne (1880-1914)

Benoit Oger [1]

Les travaux universitaires qui portent sur la Caisse nationale d'épargne (CNE) ne sont pas légion. Si l'on excepte une thèse de droit soutenue en 1948, un mémoire de DEA en 1988 et un mémoire de maîtrise en 1992 [2], on peut dire que l'étude de la Caisse nationale d'épargne est quasi inexistante. Et parmi les publications qui ont pour thème les caisses d'épargne, aucune ne traite exclusivement de celle-ci. Pourtant, il y aurait beaucoup d'intérêt à écrire l'histoire de cette institution qui gère aujourd'hui 23 millions de comptes [3]. Car son histoire, qui commence en 1881, est au carrefour de plusieurs histoires. Histoire politique d'abord avec les républicains opportunistes qui très vite font de l'épargne, vertu séculaire, une valeur républicaine. Histoire financière avec la mainmise totale de l'État sur le circuit de l'épargne, le soutien de la rente et le financement de la dette flottante. Histoire sociale avec le développement de la prévoyance individuelle non obligatoire alors que la loi sur les retraites ouvrières et paysannes (ROP) est encore loin d'être votée. Et enfin histoire administrative, celle de l'administration des Postes et Télégraphes, devenue aujourd'hui une entreprise publique, dont les effectifs

1. Docteur en histoire, université de Paris-VIII; chargé de recherche au Comité pour l'histoire de La Poste.

2. L. Auroux, *La Caisse nationale d'épargne et les nouveaux modes d'emploi de l'épargne populaire*, thèse de doctorat de droit, Paris, 1948 ; B. Jacquin, *La Création de la Caisse nationale d'épargne (1881-1914)*, mémoire de DEA, F. Caron (dir.), université de Paris-IV-Sorbonne, 1988 ; A. Maurer, *Les Origines et le développement de la Caisse nationale d'épargne jusqu'en 1914*, mémoire de maîtrise, F. Caron (dir.), université de Paris-IV-Sorbonne, 1992.

3. A. Darrigrand et S. Pelissier, *La Poste*, Paris, PUF, 1996, « Que sais-je », n° 260, p. 46.

et la technicité s'accroissent énormément entre 1880 et 1900. Il est évident qu'il existe des conjonctions d'intérêts entre les considérations politiques, financières ou sociales de l'époque. Deux points de vue sont examinés : les sources et le vote de la loi.

Les sources

Le fonds d'archives de la CNE est formé principalement du fonds F90 et du fonds F90 bis. Le fonds F90 comporte des documents très variés qui remontent pour les plus anciens à 1881 : textes législatifs, circulaires des ministères des Finances et du Travail, renseignements concernant les relations internationales, mesures disciplinaires et budgétaires, etc. Les documents relatifs aux succursales ne donnent qu'un aperçu limité de l'organisation et du fonctionnement d'une succursale de la CNE, mais peuvent fournir un complément d'information utile. Le fonds F90 bis fournit également des informations sur l'organisation du service, les transferts de comptes, les établissements secondaires, les virements, la comptabilité des bureaux et la CNE hors métropole (colonies et pays étrangers).

Ces deux fonds réunis sont très utiles; ils sont lacunaires cependant et ne présentent rien ou presque sur la genèse de la loi d'avril 1881. Les débats au Sénat de l'Empire et à la Chambre ou les premiers rapports de commissions concernant l'extension des guichets d'épargne en sont absents.

Il est donc nécessaire de recourir à d'autres séries des Archives nationales, notamment à la série CC qui concerne les pétitions envoyées au Sénat sous le Second Empire de 1853 à 1870. Cette série, dont le classement est en cours, permet d'approcher une source originale constituée uniquement de pétitions. C'est à travers ces dernières que l'on peut mesurer l'importance de la question de l'épargne dans la société française de l'époque.

On trouve aussi dans la série C un ensemble de documents qui concernent les caisses d'épargne, notamment le rapport d'Agathon Prévost, agent général de la Caisse d'épargne de Paris, sur la Caisse d'épargne postale établie en Angleterre, un autre rapport daté de décembre 1866, adressé à l'Empereur par les ministres des Finances et des Travaux publics Fould et Le Béhic, et les résultats d'une enquête menée auprès des caisses d'épargne suite à la proposition Fournier, Tallon et Chabaud de la Tour en 1873. Cette série est également indispensable pour tout ce qui concerne les projets de loi classés par session, les brochures, rapports, mémoires et imprimés divers distribués aux chambres. Elle est à compléter par la série C* II pour tout ce qui touche à la composition des bureaux et pour les comptes rendus des commissions parlementaires.

Il faut ajouter à ces fonds les documents de la série AD XIX. On y trouve des renseignements divers sur la CNE, sur les caisses d'épargne scolaires, différentes études sur les caisses d'épargne et notamment une étude d'Arthur Legrand sur la dette flottante. Pour l'étude des rapports entre les caisses d'épargne ordinaires (CEO), la Caisse nationale d'épargne et la Caisse des dépôts et consignations (CDC), il est indispensable de consulter le fonds Trésor du Centre des archives économiques et financières (CAEF) et les archives de la CDC.

Les comptes rendus, rapports et projets de loi du Sénat et de l'Assemblée nationale puis de la Chambre des députés sont particulièrement utiles pour l'ensemble de la période étudiée. Les rapports annuels sur les opérations de la Caisse nationale d'épargne présentés au président de la République (de 1881 à 1914) sont également indispensables pour étudier les activités, ressources et emplois de la CNE. Ces rapports fournissent des éléments précieux pour étudier, par exemple, l'origine professionnelle des déposants ou les transferts de livrets entre la CNE et les CEO.

Ce corpus principal est complété par des ouvrages imprimés sur les caisses d'épargne, ou plus généraux. On peut également retenir pour leur intérêt les textes qui ont été publiés au tournant du XIXe-XXe siècle et qui portent sur l'épargne ou sur les caisses d'épargne mais dont le sujet principal est l'économie politique. L'attrait des professeurs d'économie politique pour ce thème tient peut-être au fait que l'épargne participe autant de l'économie que de la morale.

La propagation et la diffusion des valeurs de l'épargne se font aussi par la presse et les revues spécialisées. Soulignons l'intérêt que représente la lecture du *Journal de l'Union postale universelle*, où les services des caisses d'épargne postales sont fréquemment cités. Enfin, quelques recherches iconographiques au musée de la Poste montrent comment la Caisse d'épargne postale s'est installée dans les campagnes. L'ensemble de ces sources permet d'étudier la CNE de façon satisfaisante.

VERS LE VOTE DE LA LOI

C'est vers le milieu du Second Empire que la question de l'extension des caisses d'épargne est posée. En 1863, 1866 et 1869, des débats sont organisés au Sénat à la suite de pétitions qui émanent de notables ou d'économistes. L'exemple de l'Angleterre, qui a créé en 1861 les *Post Office Savings Banks*, est souvent repris. Mais, en France, les réserves sont nombreuses quand il est avancé que l'on pourrait copier le modèle anglais. Quant à la direction de la Poste, elle décline, par la voix de son directeur général Édouard Vandal, ce « fardeau » et elle indique qu'il faudrait deux ou trois fois plus de bureaux de poste qu'en Angleterre pour parvenir à un résultat semblable[4]. De plus, les réseaux des percepteurs des contributions directes ou des receveurs de l'enregistrement et des domaines sont souvent mis en avant pour les qualités morales et professionnelles des fonctionnaires qui les composent. Le long débat qui a lieu au Sénat en 1869 après le rapport de Boinvilliers n'apporte pas de réponse significative à la question de l'extension des caisses d'épargne. Tout au plus le comte de Germiny remet-il un rapport aux ministres de l'Agriculture et des Finances à ce sujet. Mais les dirigeants du Second Empire ne sont pas tentés par la création d'une caisse d'épargne postale.

Après 1870, il ressort des enquêtes menées auprès des conseils généraux que les percepteurs des contributions directes sont les mieux placés pour servir de correspondants aux CEO. Et il faut attendre 1872 pour qu'un nouveau projet de réforme soit déposé à l'Assemblée nationale. C'est de ce projet que naît le décret d'août 1875 qui autorise les percepteurs et les receveurs des postes à devenir les correspondants des CEO. Mais du fait de sa complexité et de sa difficile application, les résultats sont peu encourageants. De 1875 à 1881, 133 bureaux de poste seulement sont correspondants des CEO (dans 14 départements sur 87). Pour la même période, on compte 580 percepteurs[5].

En 1878, sur une proposition de loi du député Arthur Legrand[6], le débat sur la création d'une caisse d'épargne postale est relancé. Et finalement, quand il s'agit de collecter l'épargne dans les endroits les plus enclavés de France, le choix se porte sur l'important réseau des bureaux de Poste pour gérer la Caisse nationale d'épargne. En effet, avec plus de 6 000 bureaux en 1880, l'ubiquité du réseau postal répond en partie aux interrogations de l'époque. Adolphe Cochery, premier ministre des Postes et Télégraphes en 1879[7], défend jusqu'au bout la création de la Caisse d'épargne postale. Le projet qu'il présente avec Pierre Magnin[8] en 1880 tend au développement rapide des caisses d'épargne en France.

---

4. Rapport Ernest Boinvilliers, *JO* du 20 février 1869, n° 51. Édouard Vandal est directeur général des postes du 25 mai 1861 au 9 septembre 1870.

5. *Rapport au président de la République sur les opérations des caisses d'épargne ordinaires, 1881-1884*, Paris, Imprimerie nationale.

6. Arthur Legrand, député de la Manche, combat régulièrement la politique des opportunistes.

7. Adolphe Cochery est ministre des Postes et Télégraphes du 5 février 1879 au 5 avril 1885.

8. Pierre Magnin est ministre des Finances du 28 décembre 1879 au 14 novembre 1881.

Malgré quelques oppositions, notamment au Sénat, la loi est définitivement votée le 9 avril 1881 et ses innovations en matière juridique[9] profitent aux caisses d'épargne privées. Le premier article de cette loi définit les grands principes de la nouvelle institution : « Il est institué une Caisse d'épargne publique sous la garantie de l'État ; elle est placée sous l'autorité du ministre des Postes et Télégraphes et prend le nom de Caisse d'épargne postale[10]. »

La Caisse d'épargne postale connaît une progression rapide. Les demandes d'ouverture de livret affluent de tous côtés par l'entremise des receveurs des postes et des facteurs. C'est ainsi que le 1er janvier 1883, après un an de fonctionnement, la caisse postale compte déjà 212 000 épargnants et les dépôts s'élèvent à près de 50 millions de francs. En 1900, le cap du milliard de francs de dépôts est franchi, alors que le nombre de livrets en circulation atteint 3,5 millions. À la veille de la Première Guerre mondiale, ces chiffres atteignent 1,8 milliard pour les dépôts et 6,5 millions de livrets. Parmi ces comptes, il faut noter la part importante, surtout pour les premières années, des transferts de livrets des CEO vers la CNE. En 1882, 23 000 livrets (soit 10 % du total des livrets ouverts cette année-là) viennent des CEO. En 1914, ces « transferts-recettes » ne représentent plus que 1 % du total des comptes ouverts à la CNE.

Les professions les plus représentées parmi les épargnants sont principalement les ouvriers d'industrie, les domestiques, les journaliers et ouvriers agricoles. En 1890, après l'ouverture de succursales dans huit départements (qui facilitent et accélèrent les remboursements), les mineurs constituent à eux seuls près du quart de la totalité des déposants (24,75 %). Cette particularité vient du fait de la loi elle-même, qui autorise les mineurs à faire une telle démarche. Les propriétaires, rentiers et personnes sans profession représentent 16 % du total. Arrivent ensuite les ouvriers d'industrie avec 14,5 % et les domestiques 12,3 % (dont 2/3 de femmes), les journaliers et ouvriers agricoles 10,6 %, les employés 9 % et les professions libérales 4,5 %. Une autre particularité concerne les nouveaux livrets émis au nom de personnes illettrées exerçant ou non une profession : ils sont 12 103 en 1890, soit 3,47 % du total des nouveaux livrets. Ce qui fait dire à l'administration que les « déposants illettrés forment une minorité infime de la CNE, dont les avantages sont surtout appréciés par les personnes ayant reçu une instruction au moins primaire[11] ».

---

9. Possibilité pour les femmes mariées et pour les mineurs de se faire ouvrir un livret sans l'assistance du mari ou du représentant légal.

10. *Bulletin des lois de la République française*, année 1881, n° 621, p. 665.

11. *Rapport au président de la République sur les opérations de la Caisse nationale d'épargne*, Paris, Imprimerie nationale, 1891, p. 9.

La CNE est donc à la disposition de toutes les couches sociales de la population. Cela est en partie dû à la garantie de l'État mais aussi à la couverture spatiale des 6 000 bureaux de poste. Jules Roche, ministre du Commerce, de l'Industrie et des Colonies, en conclut que « non seulement l'institution est accueillie avec faveur par le public mais elle est devenue véritablement la banque de dépôt des petites bourses, car l'immense majorité des deux millions de déposants qui forment sa clientèle appartient aux classes laborieuses et économes dont le sort intéresse si justement le Gouvernement de la République[12] ». Il n'est pas surprenant que Jules Roche ait employé le terme de « banque de dépôt des petites bourses » en parlant de la CNE. Même si, sans rentrer dans les détails, on peut souligner qu'il est difficile de confondre, juridiquement parlant, le livret de la CNE et un compte bancaire, d'autant plus que le chèque a valeur légale depuis 1865. Toutefois, les livrets de moins de 20 francs représentent près d'un tiers de la clientèle. Les livrets de 21 à 100 francs en représentent quant à eux 22 %. Ces deux catégories représentent donc plus de 50 % de l'ensemble. Moins nombreux sont les livrets de 1 000 francs à 2 000 francs qui représentent 8,5 % du nombre de livrets ouverts. Toujours est-il qu'avec les statistiques que nous possédons aujourd'hui, c'est-à-dire des chiffres globaux sur le nombre d'opérations et de livrets, il est difficile de dire si les déposants de la CNE se servent de leur livret comme d'un compte de chèques. En fait, on dénombre en moyenne trois opérations par livret et par an[13]. Et c'est bien après la fin du XIXe siècle que les pratiques de paiements et de placements bancaires se généralisent en France. Mais il y a effectivement dans ces années 1890 un apprentissage qui se fait et un nouveau comportement économique qui s'annonce.

Ces bons résultats ne doivent pas occulter les problèmes d'organisation, qui ne manquent pas. En interne, le fonctionnement de la CNE est quelquefois difficile. Les receveurs doivent se débattre avec le décret d'application de 400 pages qu'ils ont reçu. Car le rôle des bureaux de poste est primordial, ils doivent notifier chaque soir aux centres de comptabilité toutes les opérations d'épargne qu'ils ont prises en écritures au cours de la journée. C'est à l'aide des documents de base qui lui sont adressés (demande d'ouverture de livret, premiers versements, quittance de remboursement) que le centre de comptabilité ouvre les comptes des déposants, les crédite ou les débite selon les cas[14].

---

12. *Ibid.*, p. 45.

13. Calcul fait en retranchant un tiers de comptes dormants (aucune opération faite depuis un an au moins).

14. Jusqu'en 1937, tous ces comptes courants sont tenus à la main sur des registres comptant chacun 500 comptes.

En externe, la Caisse d'épargne postale va très vite éditer des notices d'utilisation à l'usage des déposants pour faciliter leurs démarches. Avec l'ouverture des succursales et la décentralisation du service de la CNE, les opérations d'épargne (versements, remboursements, transferts, achats de rente, etc.) peuvent se faire d'une façon générale aux guichets des bureaux de poste, sur présentation du livret, ou par l'intermédiaire des facteurs-receveurs.

Tels furent les débuts de la CNE. C'est dans une conjoncture difficile, celle des années 1880-1890, où la croissance économique est fortement grippée, l'accumulation des dépôts bancaires moins dynamique et l'expansion monétaire ralentie, que se constituent les fondements et l'identité de la CNE. Cela est en grande partie dû à l'intérêt absolument sûr que rapporte tout dépôt dans la Caisse d'épargne de l'État et au nombre croissant des bureaux de poste (plus de 6 000). Pourtant, comme le note Jean Bouvier, l'État n'avait pas poussé à l'essor des caisses d'épargne[15]. La loi de 1895 n'a-t-elle pas abaissé le plafond des dépôts de 2 000 francs à 1 500 francs ? Plus surprenant peut-être le rapport des services de la Caisse des dépôts qui envisage en 1886 la suppression de la CNE (mesure inhérente au fait que les dépôts des caisses d'épargne ont pris un développement exagéré)[16]. Paradoxe donc entre d'un côté une volonté de drainer plus largement les épargnes dans les années 1880, et de l'autre côté un embarras devant l'accumulation des dépôts dans les années 1890. Cela tient sans doute au fait que ressources et emplois ne participent pas de la même dynamique, mais, peut-être aussi, aux circonstances à la fois politiques et financières particulières de la création de la CNE en 1881[17].

15. J. Bouvier, « L'extension des réseaux de circulation de la monnaie et de l'épargne », in F. Braudel et E. Labrousse, *Histoire économique et sociale de la France*, Paris, PUF, 1993, « Quadrige », t. IV, vol. 1, p. 197.

16. R. Priouret, *La Caisse des dépôts, cent cinquante ans d'histoire financière*, Paris, PUF, 1966, p. 179.

17. Cf. B. Oger, *La Caisse nationale d'épargne. Origines, enjeux, développements (1861-1914)*, thèse de doctorat, M. Margairaz (dir.), université de Paris-VIII, 2002.

Le chargement des voitures.

Coupure de journal.

(Musée de La Poste, Paris, droits réservés.)

Voiture à 60 places « panidochème ».

Victor Adam, sans date.

(Musée de La Poste, Paris, droits réservés.)

Au XXe siècle

Le syndicalisme dans l'administration des Postes (1909-1946)

Frédéric PACOUD [1]

L'histoire du syndicalisme postal avant 1946 reste largement méconnue, seules les grèves de 1909 ayant vraiment été étudiées. Nous avons consacré à la naissance de ce syndicalisme quelques travaux préliminaires [2]. Cet article en présente les premiers résultats et les principaux axes de recherche. L'année 1946, date de la création du statut des fonctionnaires, semble être la plus pertinente pour clore l'histoire syndicale commencée au début du siècle. Choisir 1939 ou 1940 aurait signifié que l'entrée dans la Seconde Guerre mondiale était une rupture majeure, donnant à la période 1909-1940 une cohérence indiscutable du point de vue de l'histoire du syndicalisme postal. C'était faire d'un événement politique et militaire national la coupure fondamentale de cette histoire. Or, on observe que de nombreuses personnalités du syndicalisme postal poursuivent une activité, soit dans des organisations clandestines, soit au service du régime de Vichy, pendant la Seconde Guerre mondiale, et que certaines d'entre elles retrouvent des responsabilités dans le syndicalisme en 1946 [3]. Surtout, le droit au syndicat et à la grève est accordé aux fonctionnaires en 1946. C'est donc à ce moment-là que se situe la césure la plus pertinente pour l'histoire du syndicalisme postal au XXe siècle, la nouvelle donne juridique provoquant une mutation des revendications et des modes d'action.

L'administration des PTT est, à cette époque, sous l'autorité directe d'un ministre. Ses employés, à l'exception des ouvriers, ne peuvent s'organiser en syndicats et la jurisprudence ne leur reconnaît pas le droit de grève [4]. Mais

---

1. Administrateur du Sénat; doctorant, université de Paris-IV-Sorbonne.

2. F. Pacoud, *La Naissance du syndicalisme postal, des origines à 1909*, mémoire de maîtrise, H. Morsel (dir.), université de Lyon-III, 1997; *Histoire du syndicalisme postal, 1909-1946*, mémoire de DEA, D. Barjot (dir.), université de Paris-IV-Sorbonne, 1999.

3. Voir notamment les parcours de R. Belin et d'É. Courrière.

l'originalité du syndicalisme postal apparaît très vite. Animé par des fonctionnaires plus ou moins proches de la classe ouvrière selon leur grade au sein d'un service public industriel et commercial, il revendique une parenté avec le syndicalisme ouvrier. S'adressant à l'État, ou, tout au moins, au sommet de la hiérarchie politico-administrative, il emprunte au mouvement ouvrier certaines armes, comme le discours et la communication. Par ailleurs, le syndicalisme postal se développe à une époque où les esprits s'éveillent à l'idée et à la nécessité d'une réforme de l'État.

L'étude du syndicalisme postal de 1909 à 1946 peut se fonder sur des sources abondantes et une bibliographie permettant d'enrichir la problématique et de multiplier les points de comparaison. Du point de vue méthodologique, nous avons distingué entre l'étude des idées, des acteurs et des modes d'action du syndicalisme postal. Approche illustrée par la présentation d'un aspect de l'histoire du syndicalisme postal dans l'immédiat avant-guerre.

Des sources abondantes et variées

Les archives permettant de retracer l'histoire du syndicalisme postal proviennent de ses trois acteurs principaux : les syndicats eux-mêmes, qui produisent une quantité de documents liée à leur degré d'organisation, l'administration et le pouvoir politique. C'est à l'Institut d'histoire sociale de la fédération CGT des PTT que se trouve la plus grande quantité d'archives syndicales. Elles se composent de comptes rendus des congrès des groupements syndicaux affiliés à la CGT, de procès-verbaux des séances du bureau des syndicats, de journaux et d'études réalisées par les syndicats sur le service postal. Ces archives couvrent l'ensemble de la période étudiée, avec toutefois des documents moins nombreux pour la Seconde Guerre mondiale. La presse syndicale, dont de nombreuses séries sont conservées à la Bibliothèque nationale, permet de compléter l'approche de la vie et des revendications syndicales. Cependant, les comptes rendus de congrès sont très périodiques et les séries de procès-verbaux des conseils syndicaux, aussi fournies soient-elles, ne sont pas complètes. Les archives de police peuvent pallier ces lacunes, car elles retracent les moindres manifestations du syndicalisme postal.

Les archives de police (sous-série F7) permettent en effet une analyse globale du syndicalisme postal dans la plupart de ces aspects. Elles rassemblent des rapports sur les congrès, les réunions et les grèves, et des coupures de presse. Fournissant souvent la liste des membres présents aux réunions ou arrêtés après une grève, ces rapports permettent de compléter les archives syndicales pour élaborer des fichiers et des séries statistiques. Les archives provenant du minis-

4. Jurisprudence constante du Conseil d'État sur ce point, de l'arrêt *Winkell* du 7 août 1909 à l'arrêt *Dehaene* du 17 février 1950.

tère des PTT (sous-série F90) contiennent d'abord des feuilles de carrière et des dossiers de personnel, les premières étant beaucoup plus succinctes que les seconds, mais adaptées à des études statistiques. Par ailleurs, des dossiers concernant les grandes grèves de la période 1909-1938 relatent les événements et leurs éventuelles suites disciplinaires. Enfin, certains cartons touchent exclusivement les affaires disciplinaires, qui font l'objet de revendications importantes de la part des syndicats tout au long de la période.

Les archives parlementaires ou politiques permettent d'étudier la réalité des rapports entre le syndicalisme postal et le pouvoir politique. Conservées à l'Assemblée nationale, au Sénat et aux Journaux officiels, ces archives sont constituées de propositions de loi, de propositions de résolution, de décrets, d'interpellations et de questions écrites. Elles mettent en présence des parlementaires et le pouvoir exécutif. On peut donc y voir comment sont relayées et perçues les revendications des syndicats par le pouvoir politique. Il devrait ainsi être possible d'établir un fichier des parlementaires les plus sensibles aux problèmes des postiers, afin de montrer quels relais politiques ont trouvés divers groupements du syndicalisme postal[5].

Parmi les sources imprimées, qui prennent souvent en compte l'ensemble de l'administration et de ses syndicats, et non la seule administration postale, trois catégories peuvent être distinguées. On trouve d'abord des études juridiques, articles ou thèses de droit, ou historiques, dont les auteurs sont en général des universitaires. Au centre de leur réflexion figure l'illégalité des syndicats de fonctionnaires. Les sources imprimées comprennent également la jurisprudence administrative et certains grands traités de droit administratif de l'entre-deux-guerres[6]. Plusieurs ouvrages sont consacrés à la situation juridique des groupements de fonctionnaires[7]. Il existe également des études concernant plus précisément la Poste, à l'exemple de celle réalisée par Jules Guilhen sur les conseils de discipline[8].

Le deuxième ensemble se compose de travaux portant spécifiquement sur le syndicalisme ; leurs auteurs se caractérisent souvent par une certaine proximité avec les mouvements syndicaux. L'intérêt de ces documents réside dans leur

5. Le terme « groupement » est utilisé dans le présent article pour désigner les associations et syndicats constituant le syndicalisme postal et, plus largement, le syndicalisme des fonctionnaires. En effet, ces derniers – à l'exception des ouvriers de l'État – n'ayant pas légalement accès au syndicat, ont eu recours, au début, à la forme associative (loi de juillet 1901) pour contourner cet obstacle juridique.

6. Notamment les traités de L. Duguit, de M. Hauriou et d'H. Berthélémy.

7. En particulier les ouvrages de J. Busquet, *Les Fonctionnaires et la lutte pour le droit au syndicat*, Paris, Rousseau, 1910 et de P. Dietsch, *De la légalité des syndicats de fonctionnaires*, Paris, Librairie du recueil Sirey, 1934.

8. J. Guilhen, *Les Conseils de discipline dans l'administration des Postes*, Paris, Giard et Brières, 1911.

perception d'un phénomène social nouveau d'abord, puis de plus en plus installé[9]. On y trouve aussi bien les tenants d'une fermeté étatique face à la menace d'une gestion par les syndicats, que les défenseurs d'un syndicalisme des fonctionnaires reconnu, susceptible de faire régresser l'arbitraire dans le fonctionnement de l'État.

Enfin, des réflexions sur l'État, son fonctionnement et son évolution face au syndicalisme, le plus souvent conduites par des fonctionnaires, constituent une troisième catégorie de sources imprimées. Ces ouvrages traitent de la remise en question du fonctionnement traditionnel de l'État par les syndicats de fonctionnaires[10], mais aussi de la réforme de l'État, que les syndicats font émerger dans le débat public à cette époque[11]. Certaines études traitent des dysfonctionnements de l'administration et préfigurent la science administrative. C'est le cas des travaux d'Henri Fayol, dont une étude concerne précisément les PTT[12], et des ouvrages d'Henri Chardon. Ces documents peuvent être exploités pour mettre au jour le rôle des syndicats des PTT dans la diffusion des idées révolutionnaires ou réformistes, d'une conception du service public et de sa gestion, au sein des autres groupements de fonctionnaires.

Une approche dynamique du sujet

La problématique que nous avons choisie se développe selon trois axes. Il s'agit d'abord d'étudier les questions relatives aux différents conflits dont les syndicats des PTT sont, *volens nolens*, des acteurs. Puis d'évoquer les analyses concernant les évolutions idéologiques, structurelles et quantitatives du syndicalisme postal, et les approches de nature sociologique. De 1909 à 1946, le syndicalisme postal est concerné par trois conflits. Deux lui sont imposés par les événements et affectent l'ensemble du continent européen, mais aussi, par leur ampleur, leurs implications et leurs conséquences sans précédent, le fonctionnement de l'administration et le mouvement ouvrier. Chacune des deux guerres mondiales a des répercussions particulières sur les groupements du syndicalisme postal. Pour ce qui concerne la Première Guerre mondiale, apparaît comme central le passage de l'antipatriotisme, caractéristique du mouvement ouvrier français avant 1914[13], à l'« Union sacrée ». Les projets d'action commune des organisations ouvrières ont échoué et n'ont

9. Ce sont, notamment, les travaux de J. Bouvier, C. Laurent et R. Verfeuil.

10. Voir les ouvrages de G. Cahen, P. Harmignie, L. Paul et É. Rotot.

11. Question abordée notamment par G. Mer, *La Réforme de l'État en France,* Paris, Sirey, 1936 et A. Tardieu, *La Réforme de l'État,* Paris, Flammarion, 1934.

12. H. Fayol, *L'Incapacité industrielle de l'État : les PTT,* Paris, Dunod, 1921.

13. Voir A. Kriegel et J.-J. Becker, *1914. La Guerre et le mouvement ouvrier français,* Paris, Armand Colin, 1964.

pas été suppléés par les « initiatives d'en bas ». Il importe de voir quelle a été l'attitude des diverses organisations syndicales des PTT face à la guerre. Pour la Seconde Guerre mondiale comme pour la Première, l'attitude des syndicats des PTT doit non seulement être analysée pendant le conflit, mais aussi dans les années qui le précèdent, vis-à-vis des régimes fascistes et face aux accords de Munich. Notre problématique concerne plus précisément le contexte particulier de la défaite française et aborde la question du devenir des syndicats des PTT, et de leur attitude envers l'ennemi, en prenant en compte les modifications profondes des institutions en raison de la politique de collaboration du régime de Vichy[14]. La reconstitution biographique du parcours de certaines personnalités du syndicalisme postal permet de voir si ces fonctionnaires optent alors pour la clandestinité, l'effacement ou le reniement. Le troisième conflit est celui qui oppose les syndicats des PTT à l'État, tant du point de vue juridique et institutionnel que du point de vue des idées. Si le syndicalisme postal est un acteur de ces trois conflits, il semble cependant que les deux guerres mondiales aient une influence prépondérante sur les termes du conflit de longue durée engagé avec l'État. On peut voir dans l'accroissement du poids de l'État au sein de l'économie, provoqué par la Première Guerre mondiale, et dans la volonté de garantir des droits fondamentaux après les atrocités de la Seconde Guerre mondiale, des facteurs essentiels d'une évolution qui aboutit à la reconnaissance du droit syndical des fonctionnaires en 1946. Mais ce ne sont pas les seuls éléments de la transformation progressive du conflit entre État et syndicats des PTT, où les rapports qu'entretiennent ces derniers avec la classe politique d'une part, et la période du Front populaire d'autre part, jouent un rôle indéniable.

Le deuxième aspect de notre problématique concerne l'évolution des idées et des structures du syndicalisme postal. Ni vraiment ouvriers, pour la plupart, ni toujours vraiment fonctionnaires de bureau, les syndicalistes des PTT sont à la rencontre de deux mondes qui souvent s'ignorent, quand ils n'affichent pas un dédain réciproque. Des idées, ils en empruntent à ces deux mondes, et sans doute davantage, au début tout au moins, à celui des ouvriers qu'à celui des fonctionnaires. Mais ils prétendent aussi en apporter de nouvelles. La nature de leurs activités professionnelles les rapproche des organisations ouvrières, d'ordinaire moins enclines à accueillir des fonctionnaires. Cette proximité particulière avec le monde ouvrier fait qu'ils apparaissent comme des pionniers au sein de la fonction publique. Ainsi, pour ce qui concerne l'idéologie du syndicalisme postal, les thèses développées doivent d'abord être comparées avec les idées du mouvement ouvrier et des autres syndicats de fonctionnaires.

---

14. Voir M.-O. Baruch, *Servir l'État français. L'administration en France de 1940 à 1944,* Paris, Fayard, 1997, p. 53 sq.

Mais une problématique précise peut également être définie au sujet de l'avant-gardisme affiché des syndicats des PTT. Enfin, l'impact de la morphologie administrative sur les structures du syndicalisme postal doit être pris en compte.

Le dernier aspect de notre problématique porte sur les acteurs, les modes d'action et le langage du syndicalisme postal. L'étude de la trame historique fondamentale du syndicalisme postal doit être accompagnée de considérations sociologiques propres à en éclairer les principaux déterminants et à lui apporter une chair sociale. Face au foisonnement des ouvrages et à l'accumulation de constructions théoriques, ont été retenus quelques modèles qui paraissent susceptibles d'enrichir trois interrogations principales. Il s'agit d'abord d'identifier les acteurs du syndicalisme postal et leur organisation, par une approche fine de certaines sections locales par exemple. Ensuite, l'étude des modes d'action collective des syndicats des PTT doit être problématisée en fonction des grands travaux de sociologie des organisations et de comparaisons intersectorielles et internationales. Enfin, les sources identifiées semblent permettre d'élaborer des questions particulières aux modes d'expression des diverses composantes du syndicalisme postal, à leur langage et à leurs éventuels symboles ou principes unificateurs. Les journaux, affiches, tracts sont à la fois des moyens d'expression et des moyens de mobilisation. Y est employé un langage qui reflète une certaine vision du monde et où transparaissent des symboles porteurs d'une identité. L'étude des journaux met en évidence le travail de propagande des syndicats, qui s'opère en deux temps[15] : la « mobilisation d'un consensus », en diffusant un point de vue sur le problème visé, et la « mobilisation de l'action », afin de transformer le consensus en participation à une manifestation ou à une grève.

Ainsi, trois questions semblent structurer l'étude du syndicalisme postal entre 1909 et 1946 autour de la problématique de l'identité. Au centre figure l'ambiguïté d'un milieu qui dépasse les classifications traditionnelles. Cette identité complexe, les employés des PTT ont peut-être essayé de s'en dégager et ont tenté de l'utiliser pour construire un syndicalisme spécifique – un syndicalisme qui porte la marque de la morphologie administrative au point de rester segmenté malgré certaines communautés de pensée. Mais le syndicalisme postal a, par ailleurs, synthétisé des idées prises au mouvement ouvrier, à la CGT en particulier, et des idées propres à un syndicalisme de fonctionnaires. Il en résulte un rapport assez facile à la grève, une pratique très développée des mécanismes de diffusion des idées et de mobilisation, et une doctrine originale concernant l'État. D'une conception

15. Voir B. Klandermans et D. Oegema, « Potentials, Networks, Motivations and Barriers. Steps Toward Participation in Social Movements », *American Sociological Review*, 52, 1987, p. 519-531.

essentiellement marquée par la question du droit syndical, le syndicalisme postal passe progressivement à une véritable théorie du rapport des fonctionnaires à l'État et de la réforme de l'État, thème majeur des années 1920[16].

Le débat sur la place des femmes au sein de l'association des agents (1909-1914)

Pour illustrer notre approche, nous évoquerons ici un aspect particulier de l'histoire du syndicalisme postal avant 1914 : le débat qui eut lieu au sein de l'association des agents à propos de la place des femmes dans l'administration[17]. L'Association générale des agents compte 13 642 adhérents en 1909 et 18 640 en 1913[18]. Il s'agit donc d'une association puissante, dont la capacité de mobilisation se confirme d'année en année. De toutes les organisations du syndicalisme postal, c'est celle qui aborde le plus grand nombre de questions. Dans l'immédiat avant-guerre, elle se montre de plus en plus attentive au sort des femmes. Elles sont en effet nombreuses au sein de la catégorie des agents, en tant que dames employées. Le traitement réduit du personnel féminin et sa « tiédeur pour le mouvement associationniste[19] » ont longtemps expliqué le recours de l'administration à ce recrutement. Cependant la situation change : les femmes ne restent pas indifférentes aux grèves de 1909 et organisent leur propre mouvement, l'association des dames employées, tandis que l'Association générale des agents a inscrit pour elles, au premier rang de ses revendications, d'abord le principe du traitement égal aux deux tiers de celui des hommes (il fut accepté par la Chambre des députés à la séance du 13 décembre 1906), puis celui de l'égalité absolue.

---

16. Voir P. Legendre, *Histoire de l'administration de 1750 à nos jours,* Paris, PUF, 1968, p. 58 sq.

17. S'ils peuvent être affectés à des services administratifs en tant que rédacteurs, dactylographes ou expéditionnaires, les agents sont majoritairement placés dans des services d'exécution. Ce sont les commis, surnuméraires et dames employées qui réalisent les opérations postales, télégraphiques et téléphoniques. Ils sont recrutés par concours, avec un niveau d'instruction supérieur à celui des ouvriers et des sous-agents (facteurs, gardiens de bureau, courriers ambulants).

18. Pour un total de 40 000 agents dans l'administration des PTT. Voir, dans les archives de la fédération CGT des PTT, les comptes rendus des congrès annuels de l'association des agents de 1909 et 1913.

19. Voir B. Laurent, *Services postaux en 1913,* Saint-Étienne, Imprimerie de la Loire, 1913, p. 208-209.

La formule « à travail égal, salaire égal » est adoptée au congrès de Marseille, en 1910. Au congrès de Bordeaux (1912), l'association approuve l'accession des femmes au rédactorat, ajoutant, après un débat animé entre les oratrices, que si la réforme aboutissait, serait demandé le traitement des rédacteurs masculins, et non ses deux tiers. Toutefois, l'association des agents, soucieuse de s'attirer l'adhésion des dames employées pour étendre son influence et mieux asseoir son pouvoir face à l'administration, observe une attitude ambiguë à leur égard. Souvent, la question féminine est inscrite à l'ordre du jour des congrès annuels, mais cela n'aboutit à aucune stratégie d'action précise et effective. L'association semble donc recourir à une démagogie qui n'échappe pas à certaines de ses composantes. Se trouve également posé le problème de la concurrence faite aux hommes par les femmes, en raison de leur moindre niveau de rémunération. C'est ainsi que se développe une conception originale du féminisme dans l'association des agents : elle prône l'égalisation des conditions de travail de la femme et de l'homme non pour le bien des premières ou pour rendre effectif le principe d'égalité, mais pour que cesse une concurrence néfaste aux seconds. Delmas ajoute à ce sujet une observation qui témoigne des préjugés en cours dans l'administration des Postes : « Du jour où les femmes seront nos égales, il se peut bien que l'administration n'en recrute plus. » Le principal argument sous-jacent à cette idée étant que si les femmes sont moins bien rémunérées, c'est parce qu'elles sont beaucoup moins productives. Leur travail ne serait pas aussi rentable que celui des hommes. L'égalisation des conditions amènerait une chute de leur compétitivité. Ces conceptions montrent les limites intrinsèques et l'instrumentalisation d'un « féminisme » défendu par un groupe à forte majorité masculine.

L'affirmation de la présence des femmes au sein de l'association est donc de nature à susciter une évolution, mais se heurte à des résistances. Ainsi, lors du congrès de 1914, une déclaration des groupes téléphonique et télégraphique est portée à la connaissance de l'assemblée, mais le président de séance lui demande « de n'engager aucune discussion[20] ». Le contenu de cette déclaration est manifestement gênant pour le conseil de l'association : « Les groupes téléphonique et télégraphique regrettent vivement que l'inertie systématique des groupes au sujet de la question féminine constitue depuis plusieurs années un enterrement de première classe ; informent le Congrès que cet état de choses sera signalé au prolétariat féminin tout entier et que les groupes de l'AG auront à prendre leur responsabilité à ce sujet. » Et le congrès n'adopte autre chose que la proposition de ne pas discuter de cette question. La place des femmes est de toute évidence une question sensible pour l'association. Si l'hypocrisie semble, sur ce sujet, rallier la majorité,

20. *Compte rendu du congrès de 1914,* p. 308.

cette attitude montre que le débat existe dans l'organisation des agents, mais que le congrès a le pouvoir de bloquer les tendances dissidentes. Le fait que les groupes locaux ne puissent y envoyer plus d'un délégué officiel[21], contribue sans doute à étouffer les dissonances, en divisant les unités de vue réalisées à l'échelon local. Les détracteurs de la tendance générale n'ont alors d'autres moyens d'intervention que des messages ou déclarations qu'ils ne peuvent défendre *in situ.*

En outre, lors du congrès de 1914, auquel la question avait été renvoyée l'année précédente, est présenté un rapport sur « la situation du personnel féminin dans l'administration ». Son auteur est une femme, mademoiselle Chadel, qui défend une conception strictement égalitariste, considérant qu'il est « plus juste de dire que la fonction doit être au plus digne et au plus capable, sans distinction de sexe[22] ». Elle voit dans le travail féminin un moyen d'indépendance. C'est la raison pour laquelle, tout en reprenant le rapport du groupe Audois, elle écarte l'idée d'une réduction de la durée du travail quotidien pour les dames employées. Selon elle, les femmes n'aspirent pas tant au repos qu'au bien-être acquis par leur travail : « Nous préférons pouvoir, avec un salaire légitimement acquis, organiser notre vie dans des conditions meilleures, que d'avoir moins de fatigue peut-être, mais moins de facilité pour subvenir à nos besoins sans l'aide de qui que ce soit. » En toute logique, contre les arrière-pensées de ses collègues masculins, elle propose au congrès de militer en faveur du concours d'entrée unique pour les dames employées et les surnuméraires. Ainsi, le porte-parole des femmes au sein de l'association ne refuse pas la concurrence ; elle la revendique, afin de fonder sur la transparence l'idée du salaire égal pour un travail égal. Cette concurrence aurait pour objet la compétence, et non une différence de rémunération. C'est donc une véritable position féministe qui est ainsi défendue, car elle s'attaque à l'idée d'une infériorité des femmes par rapport aux hommes dans le travail. Mademoiselle Chadel n'ignore pas la question des aides, pour lesquelles sera plus difficile le concours qui leur permettrait d'avancer dans leur carrière. Les candidates à cet emploi ne risquent-elles pas de se raréfier ? Sans doute, mais elle considère que, les aides étant la catégorie la plus exploitée dans le personnel féminin, « pas une femme ne se plaindra que l'administration n'en trouve plus dans les conditions qu'elle leur offre actuellement ». La solution réside par conséquent dans « un salaire raisonnable » et la création d'une catégorie à part entière. Alors, les aides ne consentiront plus à sacrifier leurs jeunes

21. C'est ce qui ressort de la liste des délégués annexée à chaque congrès de l'Association générale des agents : pour chaque ville ou département, un seul nom est mentionné. Ces délégués « officiels » sont, par ailleurs, seuls à pouvoir voter lors des congrès.

22. *Compte rendu du congrès de 1914,* p. 239-245.

années dans l'espoir d'une hypothétique accession au grade de dame employée[23].

Toutefois, l'idée d'une infériorité – en particulier physique – inhérente aux femmes trouve également des défenseurs. Rocca, délégué au congrès, la soutient en citant le rapport de la ligne de Lyon. Il s'agit selon lui de mettre la femme en présence de la réalité : par sa constitution physique, la femme ne peut produire un rendement égal à l'homme et « sa main-d'œuvre ne s'impose pas puisqu'il y a quelques années, seuls les hommes pouvaient aspirer à un emploi dans l'administration ». Pour lui, le travail n'est pas le moyen de l'indépendance féminine, mais ce que la femme doit « douloureusement disputer » à l'homme, en raison d'un « état social anarchique, odieux ». Ses références sont Engels, Proudhon et Marx, qui ont, dit-il, signalé les terribles conséquences du travail des femmes, résultat d'un ordre bourgeois capitaliste : foyer détruit, dangers pour la moralité de la femme, mortalité des enfants. Ainsi, en attendant la « socialisation des moyens de production », la ligne de Lyon suggère que l'on spécialise les femmes dans des besognes faciles – guichetières dans les petits bureaux, télégraphistes sur les petits postes… – avec une journée de travail limitée à 7 heures, l'interdiction du travail de nuit, deux mois de congé à solde entier avant et après l'accouchement. L'accès à des grades hiérarchiques ne doit leur être accordé que dans des bureaux à personnel entièrement féminin. Les raisons d'une telle position ne sont pas explicites. On peut néanmoins penser que les hommes éprouvent quelques difficultés à être dirigés par des femmes. Sur ce point, la majorité masculine de l'association des agents ne semble donc pas « en avance » sur le reste de la société. Quant aux traitements, ce groupe – qui considère surtout la situation des femmes mariées – estime que « les deux tiers du traitement masculin, déjà admis, sont suffisants », point de vue qui peut sembler plutôt réactionnaire. L'objectif n'est pas de reconnaître l'égalité de la femme, mais de tenir compte de son infériorité « organique ». C'est en attendant que la société évolue de façon à permettre aux femmes de n'avoir d'autre préoccupation qu'élever leurs enfants, que l'administration doit leur accorder une place spécifique. Une fois de plus, la question est renvoyée à l'étude des groupes,

23. Cette situation avait même été reconnue par Charles Dumont, député, rapporteur du budget des PTT pour l'exercice de 1910 : « Il y a de la part de l'administration comme de la part des receveurs, une véritable exploitation dont la victime est l'aide, pauvre jeune fille abandonnée des pouvoirs publics, devenue souvent la bonne de la receveuse et qui attend péniblement ses dix ans de service pour passer l'examen spécial de dame. L'administration a la responsabilité morale des misères d'un nombreux personnel qu'elle ne connaît pas, mal payé ou payé de promesses. Ce mode d'exploitation est peut-être économique pour le Trésor, il est en tout cas indigne d'une grande administration. » (Assemblée nationale, Chambre des députés, *Rapport sur le budget général de l'exercice de 1910, ministère des Travaux publics et des PTT*, p. 293.)

sans qu'aucune initiative soit décidée. Cependant, le congrès de 1914 montre que l'association des agents est animée de courants contradictoires. Elle est un lieu de débat majeur, où les problématiques sociales viennent s'ajouter aux questions traditionnelles de rémunération et d'organisation administrative. Chacune des positions défendues dans la discussion sur la situation du personnel féminin révèle des conceptions différentes de la société. Ainsi, à l'attitude protectrice et familialiste de groupes masculins se réclamant du marxisme, s'oppose la témérité de femmes qui veulent conquérir leur égalité.

Si l'histoire du syndicalisme postal concerne plusieurs organisations, il apparaît donc qu'une place prédominante peut être faite dans nos recherches à l'association – qui devient plus tard syndicat – des agents[24]. Cette approche combine pertinence méthodologique et intérêt historique. En effet, c'est pour cette catégorie du personnel des PTT que les sources syndicales sont les plus abondantes. Les études qui nécessitent des documents suivis sur de longues périodes sont plus faciles à mener à partir des organisations des agents. Par ailleurs, la stratification du syndicalisme postal ne doit pas conduire à une segmentation de l'étude. L'étude des rapports des syndicats des PTT entre eux peut être plus instructive que l'étude approfondie de chaque syndicat. Si l'organisation des agents est prise comme référence, les autres syndicats ne sont pas négligés ; mais leur fonctionnement et leurs idées sont mis en perspective à partir de cette référence. Nos recherches doivent s'attacher à saisir les relations tout en pensant les différences, pour aboutir à l'histoire du syndicalisme postal et non aux histoires parallèles du syndicat des ouvriers, du syndicat des sous-agents, etc. En outre, il apparaît que l'association et le syndicat des agents sont les organisations les plus en avance du point de vue des revendications et des modes d'action. Sans minorer l'intérêt indéniable des autres groupes, on peut faire l'hypothèse que l'action des agents est la plus représentative d'une identité spécifique du syndicalisme postal.

24. L'association des agents se transforme en syndicat à la fin de l'année 1918. Le premier congrès de ce nouveau syndicat a lieu les 28, 29 et 30 août 1919, à Paris. Voir le compte rendu du congrès de 1919 dans les archives de la fédération CGT des PTT.

La distribution postale dans le Nord entre 1940 et 1944

Carlos Da Fonseca [1]

Au lendemain de l'invasion militaire allemande de mai-juin 1940, tout le réseau postal du département du Nord est détruit, tant matériellement – avec la destruction de nombreux bureaux – que dans l'organisation du travail. Sa reconstitution se fait sous la férule de l'occupant qui encadre et limite fermement l'activité et réduit les marges de manœuvre de l'administration des PTT.

La présente étude a pour objet l'état d'un service public, le service postal de distribution du courrier, pendant l'Occupation. Il est défini comme étant la collecte et le transport des plis, leur tri et enfin leur distribution [2]. Le service postal nécessite pour ces tâches le travail des manipulants, des manutentionnaires, des courriers-convoyeurs, des facteurs, aidés par un personnel auxiliaire.

Rappelons d'abord quelques aspects essentiels du régime d'occupation dans le département du Nord. Ce département fut non seulement l'un des terrains des opérations militaires et de l'invasion de mai-juin 1940, mais il fut en outre placé, avec le département du Pas-de-Calais, non pas dans la zone occupée, ni même dans la zone interdite, mais dans la zone réservée ou zone rattachée, dépendant du commandement militaire allemand de Bruxelles. Tenir compte de cette dimension institutionnelle est fondamental pour comprendre la réalité de la distribution postale dans le Nord entre 1940 et 1944.

---

1. Doctorant, université Charles-de-Gaulle-Lille-III.

2. Plus précisément, les autorités allemandes comprenaient le service postal en tant que « transport de lettres, cartes postales, imprimés, envois groupés, échantillons, colis postaux, journaux, envois recommandés, valeurs déclarées et le service des articles d'argent ».

Cette séparation eut pour conséquence d'isoler l'administration des PTT de Lille, partagée entre les instructions de son ministère français et celles des autorités militaires allemandes d'Occupation. Le régime de l'exploitation postale fut étroitement et même exclusivement soumis à ce pouvoir d'Occupation, qui réglementa ainsi les modalités de la distribution du courrier, des moyens de transmission des télégrammes ou des appels téléphoniques.

Nous sommes donc en présence d'une situation très singulière, dans laquelle le premier problème posé est celui de l'autorité administrative et du rapport hiérarchique entre les acteurs concernés. Les directives édictées pour la zone occupée ne s'appliquaient qu'en partie à la zone rattachée, l'autre partie étant dictée par Bruxelles. Dans un tel contexte, l'interlocuteur presque unique du directeur départemental fut l'Oberfeldkommandant de Lille, sans oublier le préfet du Nord, également préfet de région à Lille. De leur côté, les autorités d'occupation ne se souciaient pas toujours de s'adresser au directeur départemental, n'hésitant pas à entrer en contact avec tel receveur pour résoudre des problèmes localisés[3]. Ces problèmes de hiérarchie étaient en outre compliqués par l'existence troublante d'un directoire régional et départemental au sein des PTT, idéologiquement opposés aux deux grandes autorités qui l'encadraient, l'occupant allemand d'une part, le ministère et l'État français d'autre part. La direction de cette administration se composait de trois échelons. À la tête de la région postale de Lille se trouvait le directeur régional. Il dirigeait trois directeurs départementaux (Nord, Pas-de-Calais et Somme). Et aux côtés du directeur régional avait été créé un poste d'ingénieur en chef régional, auquel étaient confiées les charges concernant les téléphones et les télégrammes. Or, à partir de 1942, le directeur régional, Gilles Colle, et deux de ses directeurs départementaux, Gaston Moutardier dans le Nord puis à Amiens, et Jean Le Bourva à Arras s'engagèrent dans une même action de Résistance. Cette situation est de nature à compliquer un peu plus les rapports d'autorité et de direction dans l'administration des PTT.

La remise en ordre du service

C'est à la fin du mois de juin 1940 que la reprise du service postal s'effectua, limitée à certains arrondissements isolés entre eux. Cette reprise fut d'abord organisée dans l'arrondissement de Lille, à l'initiative des Allemands. Le réseau des bureaux de poste de l'arrondissement fut hiérarchisé entre

3. Il en fut ainsi lors de la remise en marche du service postal dans le département du Nord aux mois de juin et juillet 1940. Les Allemands s'étaient adressés directement au directeur départemental pour ce rétablissement dans l'arrondissement de Lille. Mais pour le rétablissement dans l'arrondissement de Dunkerque, ils avaient contacté le receveur de Dunkerque, sans avertir son directeur.

bureau centralisateur (Lille), bureaux de relais (c'est-à-dire bureaux situés à une distance intermédiaire) et bureaux extrêmes, aux confins de l'arrondissement. Le transport des plis entre ces bureaux était effectué par les facteurs cyclistes. La journée de travail du facteur commençait à 6 heures, heure à partir de laquelle la circulation était autorisée. Ils se rendaient au bureau centralisateur ou au bureau-relais, afin de trier les plis de leurs communes, et ceci devait être terminé avant 9 h 30 pour une distribution le jour même, avant 14 heures.

Les correspondances autorisées dans un premier temps furent celles qui provenaient des services officiels et des services publics, mais aussi celles qui avaient un caractère commercial ou économique. Les correspondances devaient être déposées ouvertes auprès des maires qui devaient s'assurer qu'elles respectaient ces critères et rejeter tout envoi ne se pliant pas à ces conditions. Un second contrôle était effectué par la suite par les autorités d'occupation qui désiraient par ailleurs que cette reprise de service reste provisoirement secrète. La reprise était faite au cas par cas, et il fallut attendre l'ordonnance allemande du 18 juillet 1940 pour que l'organisation du service postal trouve un cadre général. Toutefois, afin que ces nouvelles modalités soient mises en place, le trafic interzones fut suspendu entre le 1er août et le 26 septembre 1940. À partir de cette date, les usagers purent correspondre en utilisant des cartes postales préremplies, qui laissaient peu de place pour une correspondance personnelle. Les lettres ordinaires ne furent autorisées qu'à partir du mois de novembre 1943. Quant aux destinations de ces envois, elles s'élargirent au cours de la période aux autres pays soumis à la domination allemande, c'est-à-dire à l'Europe du Nord et de l'Est.

L'ÉVOLUTION DU TRAFIC POSTAL

Fort de cet élargissement progressif des destinations autorisées à la correspondance postale, le trafic postal a connu pendant la guerre une activité soutenue. Celle-ci a été, en outre, stimulée par les nombreuses restrictions qui pesaient sur les communications téléphoniques et télégraphiques. L'utilisation de la lettre restait le moyen le plus accessible pour correspondre, d'autant que les familles étaient plus dispersées sur le territoire français (et à l'étranger également, avec notamment les prisonniers de guerre).

En étudiant des rapports mensuels concernant l'activité des PTT établis par le directeur départemental, il apparaît que le trafic postal, pour l'ensemble des départements du Nord et du Pas-de-Calais, a doublé au cours de la période d'Occupation. Avant la guerre, le volume de plis distribués s'élevait à environ dix millions par mois. Certes, au cours des premiers mois qui suivirent l'invasion, seuls cinq millions de plis furent distribués mensuellement, à cause de la désorganisation du réseau et de la quasi-paralysie imposée. Cependant, le niveau de 1939 a été de nouveau atteint en janvier 1941. La progression de l'activité postale fut continue jusqu'à l'automne 1943, pour s'élever à vingt millions de plis. C'est à peu près le niveau d'activité qui se maintint jusqu'aux combats de la Libération. Autrement dit, avant même la fin de la guerre, le nombre de plis traités avait doublé par rapport à la période de paix.

Malgré les restrictions et l'encadrement serré du service postal imposés par les autorités allemandes, les postiers soutinrent l'augmentation des flux et cela en dépit de conditions de travail très dégradées. Comment fut-il possible d'y parvenir ? Quelles furent les solutions ainsi mises en place pour que les liens entre la zone réservée, la zone occupée et la France libre soient maintenus ?

Les outils de la distribution

L'exercice du travail de distribution fut extrêmement perturbé, chaque stade de la distribution ayant à répondre aux imprévus.

Pour l'acheminement des plis à l'intérieur du département, les PTT étaient tributaires de la SNCF, elle aussi très soumise aux contingences de l'Occupation. Les PTT devaient donc compter avec un nombre de trains réduit pour assurer l'acheminement des plis. Pour seconder l'utilisation du réseau ferré, l'administration des PTT est parvenue au cours de la période à reconstituer un parc automobile lui permettant de ramasser un certain nombre de plis indépendamment du trafic ferroviaire, dont les horaires pouvaient mal s'accommoder avec ceux des agents postiers. Le volume de ce parc reconstitué fut de l'ordre d'environ 80 véhicules (avec un pic de 97 véhicules en octobre 1942)[4]. Et ce recours aux véhicules permit de pallier les carences existant sur le réseau de collecte des plis. Mais il n'était pas sans inconvénient. Outre les coûts d'utilisation, ces véhicules nécessitaient un entretien et une préparation qui obligeaient l'agent chargé de la conduite à commencer sa journée de travail 45 minutes plus tôt, tout en terminant un peu plus tard. L'agent était donc rémunéré une heure supplémentaire par jour, au titre du nettoyage et du réglage des appareils (opérations qui représentaient un certain risque, lié aux émissions d'oxyde de carbone et aux brûlures).

En revanche, les lacunes de l'équipement des facteurs furent plus difficiles à combler. Ceux-ci eurent par exemple à constater la dégradation des pneumatiques de leurs bicyclettes ou se plaignirent de l'usure de leurs chaussures : outil indispensable du facteur, elles étaient soumises au rationnement.

4. Ces véhicules furent progressivement dotés d'un équipement visant à réduire les consommations d'énergie, et ceci au moyen d'énergies de substitution (gazogène, charbon de bois).

L'identité des problèmes avec ceux de l'industrie souligne l'intense effort demandé à la Poste pour assumer le fonctionnement du service public.

Ainsi, l'administration des PTT devait tenir compte des mauvaises conditions matérielles qui entravaient le service de la distribution. De quelles ressources humaines put-elle disposer pour mener dans les meilleures conditions possibles la distribution du courrier ?

Les effectifs affectés à la distribution

Plusieurs catégories de personnel concourent à la bonne réalisation du service de distribution. Ces catégories sont, pour le tri et le transport des plis, les manipulants et les manutentionnaires, ainsi que les courriers-convoyeurs qui officient dans les trains. Au bout de ce cycle de travail, c'est le facteur qui assure la distribution du courrier aux usagers.

D'après les rapports mensuels d'activité, nous pouvons étudier les variations de cet effectif, lequel s'élevait avant-guerre à 1 472 personnes. Jamais au cours des années d'Occupation, ce niveau n'a été atteint. Au contraire, au 1er juin 1940, c'est-à-dire après l'invasion militaire allemande et pendant l'exode, seuls 485 agents étaient disponibles. À la fin de l'année 1940, l'effectif s'établissait à 952 agents. Ce regain était dû principalement à la démobilisation de certains militaires et au retour d'agents qui avaient fui la région et qui y étaient revenus. Et jusqu'au milieu de l'année 1942, cet effectif ne varia guère. Autrement dit, il manquait toujours environ 500 personnes. Toutefois, il est ici question d'agents titulaires, et nous n'avons pas pu mesurer l'ampleur du recrutement d'auxiliaires pour combler les carences dans l'effectif. À partir de 1943, le nombre d'agents titulaires affectés à la distribution s'éleva à 1 100 personnes. Il faut alors s'interroger sur les capacités de cet effectif à faire face à l'augmentation du trafic postal.

Nous avons vu plus haut que le volume de plis distribués avait doublé au cours de la guerre. Il est difficile de comprendre comment, avec une activité en forte hausse et un effectif en baisse, le directeur départemental a pu déclarer : « Les effectifs actuellement en service répondent aisément aux besoins des services[5]. » On peut supposer que le recours à un personnel auxiliaire fut important[6]. Néanmoins, en étudiant le nombre de nominations de facteurs effectuées au cours de la guerre, on remarque que les nominations de facteurs titulaires n'ont pas diminué par rapport aux années de l'entre-deux-guerres, et ce au moins pour

5. Déclaration du directeur départemental en août 1942, Archives départementales du Nord, 1 W 1587.

6. Pour la seule année 1944, nous avons comptabilisé aux Archives départementales du Nord 1 080 demandes d'emploi d'auxiliaire agréées par les services de police. Un tel afflux donne à penser que l'utilisation d'auxiliaires était massive.

les années 1942, 1943 et 1944. En 1942, 69 facteurs furent nommés (ils étaient 51 en 1938). Le rythme des nominations en 1943 et 1944 est réellement très élevé puisque, avec respectivement 116 et 121 nominations de facteurs, on dépasse le nombre de nominations de 1930, année pendant laquelle il y en avait eu 111, ce qui constitua l'une des plus importantes vagues de nominations de l'entre-deux-guerres. Pour la plupart des facteurs nommés, il s'agit en réalité de titularisations de personnel auxiliaire (près de 80 % des nominations en 1944). En revanche, c'est dans le nombre de mutations que l'effet de la guerre est perceptible (et les directives allemandes sur la mobilité des fonctionnaires laissaient peu de possibilités dans ce domaine). En 1942, il y eut seulement 29 mutations (contre 50 en 1939). Certes, en apparence, les années 1943 et 1944 apparaissent conformes à la période précédant la guerre, avec 46 et 45 mutations. En réalité, beaucoup de ces mutations n'ont pas eu lieu, ou plutôt elles avaient pour finalité d'officialiser un état de fait. Dans les premiers mois qui suivirent l'invasion de mai-juin 1940, des facteurs ont changé de lieu de travail volontairement pour rejoindre leur famille ou parce qu'ils n'avaient pas pu revenir sur leur lieu de travail d'origine. Ces mutations, souvent forcées, ne furent prononcées qu'*a posteriori*.

Ce rapport entre effectifs et volume du trafic permet de mettre en lumière la qualité du service de distribution proposé.

L'ÉTAT DU SERVICE DE DISTRIBUTION

Au premier abord, toutes les conditions semblaient réunies pour que le service public de distribution du courrier ne puisse s'effectuer de façon satisfaisante : un personnel dispersé et en sous-effectif, un trafic postal en forte hausse, les restrictions réglementaires des Allemands, la mauvaise qualité des outils techniques nécessaires à la distribution, sans parler des destructions de l'infrastructure postale[7]. Pourtant, compte tenu de ces difficultés, il semble que la qualité du service proposé ait été tout à fait honorable.

S'agissant des délais d'acheminement du courrier, ils restaient proches de ce qu'ils étaient avant la guerre. Durant les six mois qui suivirent l'invasion, plus des deux tiers des correspondances nécessitaient un temps d'acheminement de vingt-quatre heures, le tiers restant étant acheminé en deux jours. Entre le Nord et Paris, ces délais variaient dans les mêmes proportions d'un ou deux jours. L'acheminement vers les autres départements était plus aléatoire, pouvant nécessiter quatre jours.

7. De nombreux bureaux de poste avaient été complètement ou en partie détruits.

Pour la distribution proprement dite, là encore, le rétablissement progressif du service a permis des prestations correctes. Au 30 septembre 1942, 209 villes disposaient d'une distribution quotidienne, et surtout, 66 villes en avaient deux. Un bilan dressé au 1er mars 1944 montre une stabilisation de cette situation. Certes, Lille était de nouveau desservie par une troisième distribution, mais 22 villes avaient perdu leur seconde distribution journalière, et elles étaient donc 231 qui disposaient d'une distribution chaque jour. En assurant une distribution par jour au moins, il n'y avait pas rupture du service public, et compte tenu de la situation, l'essentiel était préservé, tant que la situation militaire restait stable, même si dans le Nord, des incidents ne cessèrent d'avoir lieu, liés entre autres aux bombardements britanniques.

Or, avec les combats de la Libération, le service postal a connu une nouvelle désorganisation qui a fait voler en éclats la structure mise en place. Le premier effet en est, dès juillet 1944, l'accroissement des délais de desserte des communes et d'acheminement. Désormais, seules Lille et Roubaix disposaient de deux distributions quotidiennes, avec des envois provenant des seuls alentours. De plus, de nombreuses tournées de facteurs cyclistes ne purent être assurées et furent effectuées par des facteurs à pied. De nouveau, le département se trouvait isolé des autres régions.

L'étude de l'état général de la distribution postale dans le Nord au cours de la Seconde Guerre mondiale permet de montrer comment s'adapte un service public soumis à un occupant étranger qui contrôle son activité et en régit le fonctionnement. Il faudrait la compléter par l'étude du contrôle postal, qui permettrait de mesurer le poids de l'Occupation allemande dans le Nord.

Aux prises avec des conditions d'exercice très pénibles, devant composer avec un outil technique très affecté par les restrictions des temps de guerre, le service public proposé fut d'une qualité très honorable. Il fut capable de suivre la forte demande en communication postale qui avait fait doubler l'activité du secteur, car la lettre restait le moyen le plus simple pour communiquer.

Les receveurs des postes dans les années 1950 : un corps unique ou multiple ?

Odile JOIN-LAMBERT [1]

Entre l'adoption du statut général des fonctionnaires en 1946 et celle du statut particulier du corps des receveurs en 1958, le reclassement du poste des receveurs à l'intérieur de la fonction publique est en question. Pour des autodidactes dotés d'un niveau scolaire modeste et montés dans la hiérarchie grâce à la promotion interne, la nouvelle grille de classification dite « Parodi » de 1946, qui répartit les agents en quatre catégories A, B, C et D en fonction de leur niveau scolaire, constitue inévitablement un moment fort de débats. Pour l'historien, il s'agit donc d'une période d'observation privilégiée. Elle présente quatre caractères importants. Le secteur public est élargi. L'instabilité ministérielle donne du pouvoir aux administrations. Le mouvement syndical est puissant. L'organisation des receveurs est marquée par un syndicalisme de cogestion et un important amicalisme qui contribuent au lien entre l'administration centrale et les services extérieurs [2]. Ces fonctionnaires ont donc les moyens de faire valoir leurs vues à l'intérieur des PTT et au Parlement, bien qu'ils appartiennent à l'échelon des services

---

1. Docteur en histoire, EHESS. Ce texte est issu d'une thèse de doctorat publiée sous le titre : *Le Receveur des Postes, entre l'État et l'usager (1944-1973)*, Paris, Belin, 2001, 316 p.

2. Les receveurs des bureaux de poste de toutes catégories apportent au total 50 % de leurs suffrages à Force ouvrière. Cf. les résultats des élections des représentants du personnel aux commissions administratives paritaires centrales du 6 mars 1952, in J.-F. Noël, *Les Postiers, la grève et le service public*, Grenoble, Presses universitaires de Grenoble, 1977, p. 65. L'amicale compte 6 300 adhérents en 1950 (soit 70 % des receveurs). Cf. M. Hervochon, « Historique de l'amicale », *Télépost magazine*, 304, mai 1991, p. 6. La composition du bureau de l'amicale en 1947 montre les liens étroits entre les receveurs des bureaux parisiens importants et les administrateurs de l'administration centrale. *Bulletin de l'association amicale des receveurs et chefs de centre des PTT*, 1, juin 1947.

extérieurs disposant traditionnellement d'un faible pouvoir de décision, tout particulièrement aux PTT[3].

Les receveurs ressentent comme une particularité, aujourd'hui comme hier, d'être en contact avec les usagers. Il convient alors de se demander quelle est la marge d'adaptation à la diversité des terrains locaux du corps des receveurs. Cette question éclaire et modifie quelque peu la conception traditionnelle du service public et de ses relations avec l'État. Habituellement, l'autorité légitimement désignée est supposée connaître les besoins des citoyens et définit le service à rendre. Le corps des receveurs est ainsi régi par des textes nationaux en fonction de l'organisation de carrières internes et, par définition, sans référence à l'usager. Se construit-il pour autant sans adaptation à la diversité locale ?

L'intérêt de cette question est qu'elle permet aussi d'éclairer la très grande hétérogénéité de ce corps. Sur le plan du statut, c'est un corps unique. Les receveurs ont en commun d'être responsable d'un bureau de poste[4] et d'avoir un statut de comptable public. À ce titre, ils gèrent, et c'est la première de leurs missions, des recettes et des dépenses sur les deniers de l'État (vente du timbre, paiement des taxes sur les produits télégraphiques et téléphoniques, paiement des pensions et placement des services financiers). Mais sur le plan des fonctions, c'est un corps multiple. Les receveurs accomplissent une très grande diversité de tâches, en fonction de la taille de l'établissement géré et de sa localisation. Dans les petites recettes rurales, le receveur est surtout agent d'exécution, même s'il est assisté d'un guichetier ou d'une auxiliaire. Dans les bourgs et les villes moyennes, il est cadre, et des inspecteurs servent parfois d'intermédiaires entre lui et ses agents. Dans les grandes villes, il est cadre supérieur, voire administrateur, et peut diriger un millier de personnes.

Nous analysons ici la construction administrative et sociale interne du corps selon trois perspectives : la mission principale de comptable public, les règles juridiques élaborées dans le cadre du statut et les pratiques attachées aux fonctions de chef de bureau de poste. Cette étude met en évidence le fait que les solutions retenues par l'administration et les ministres des PTT successifs pour le classement des receveurs renvoient à des enjeux portés par des corps, internes et externes aux PTT, concernant autant la définition d'un système comptable, l'organisation de carrières que la répartition des tâches et des moyens.

---

3. Arch. nat., F90 bis 7033, direction générale des Postes, catalogue des pouvoirs et des attributions par niveau de responsabilités, 1971.

4. Le terme de receveur s'est substitué à celui de directeur, par décret impérial du 27 novembre 1864, article 2, *Bulletin mensuel des PTT*, 113, 1864, p. 20.

Assurément il y a une exigence nationale homogène : la mission de comptable public est définie par des textes de portée générale. L'écriture comptable est identique sur l'ensemble du territoire national, quelle que soit la taille du bureau géré par le receveur. En revanche, le statut juridique du corps, qui regroupe pourtant dans une filière unique des niveaux d'agents d'exécution, d'agents de maîtrise et de cadres, préserve une diversité de carrière dans les pratiques. Enfin, les caractéristiques de gestion des bureaux de poste sont régies par des circulaires centrales, régionales et départementales qui tentent de répondre à tous les cas de figure susceptibles de se présenter, mais correspondent en fait à une diversité en fonction de la taille du bureau et de sa localisation géographique.

La mission de comptable public : une définition par des textes de portée générale et des pratiques uniformes

La mission principale de comptable, tout en étant déterminée par les textes généraux, s'inscrit dans une tentative d'adaptation entre la comptabilité publique et les nécessités d'une gestion industrielle et commerciale des PTT.

Le receveur, entre comptabilité publique et gestion industrielle et commerciale

La responsabilité du receveur est définie par les textes de portée générale du XIXe siècle sur les comptables publics[5] : le receveur est personnellement et pécuniairement responsable sur ses deniers. Il doit respecter la règle de séparation des ordonnateurs et des comptables, et il a le droit de refuser des paiements sans crédits. Ces textes relèvent d'une conception du contrôle des finances de l'État par le Parlement élaborée au cours du XIXe siècle et codifiée par Napoléon III[6]. Les dépenses des ministres sont autorisées par le Parlement. L'application du principe de séparation des ordonnateurs et des comptables est universelle et au service de l'autorité politique. L'idée de séparation des pouvoirs est donc au cœur de la démarche. Elle fait du receveur un homme au service du système représentatif.

---

5. Ordonnance du 31 mai 1838, complétée par le décret du 31 mai 1862. Cf. aussi J. Magnet, « Les règlements généraux sur la comptabilité publique au XIXe siècle », in *La Comptabilité publique, continuité et modernité*, colloque tenu à Bercy les 25 et 26 novembre 1993, Paris, Comité pour l'histoire économique et financière de la France, 1995, p. 33-35.

6. M. Bottin, « Villèle et le contrôle des dépenses publiques », in *La Comptabilité publique…*, *op. cit.*, p. 7-30.

L'unité de la jurisprudence entre les comptables des PTT et ceux des finances est maintenue tout au long des années 1950. Le réseau des comptables des PTT constitue, avec le réseau des comptables directs du Trésor, « les deux jumeaux sur lesquels repose l'organisation du Trésor[7] ». La Poste réalise en outre automatiquement, avec d'autres correspondants, ce qu'on appelle la fermeture du circuit monétaire de la Trésorerie[8]. Néanmoins certains rapporteurs du Comité central d'enquête sur le coût et le rendement des services publics remarquent que le rôle d'organisateur du receveur peut être important dans les grands bureaux : il doit alors relativiser la crainte de la responsabilité pécuniaire et l'importance de la précision comptable[9].

Au lendemain de la Seconde Guerre mondiale, le service public fait l'objet d'un consensus national[10]. Au sein de l'ensemble productif du secteur public et nationalisé se construisant à la Libération, les PTT occupent désormais une place originale : ils constituent la seule activité publique industrielle et commerciale qui reste dotée du statut d'administration. À l'intérieur des PTT, la création d'un « office » national est envisagée comme la meilleure solution par l'ensemble des directeurs ; mais elle est rendue inacceptable par les coûts qu'elle induit. L'objectif du directeur du budget et de la comptabilité des PTT est donc d'obtenir un simple assouplissement du régime du budget annexe de 1923 institué à la suite d'un débat public sur la gestion des PTT[11]. Dans un tel contexte, la conciliation entre les exigences de la comptabilité publique et celles d'une gestion industrielle échoue. Des assouplissements sont cependant recherchés. Une discussion entre les partisans d'une comptabilité vouée au contrôle de l'équilibre budgétaire et ceux d'une pratique plus gestionnaire renaît aux PTT en 1952, autour de la possibilité de calcul du prix de revient[12]. Elle s'inscrit dans le débat de l'époque sur le calcul des coûts, qui concerne aussi bien une entreprise du secteur public comme EDF que les budgets annexes comme celui de La Poste. Ces débats aboutissent à la mise en place

---

7. G. Devaux, *La Comptabilité publique*, Paris, PUF, 1957, t. 1, p. 149.

8. F. Bloch-Lainé et P. de Vogüé, *Le Trésor public et le mouvement général des fonds*, Paris, PUF, 1960, p. 270-274.

9. Arch. nat., F90 bis 5738, Comité central d'enquête sur le coût et le rendement des services publics, étude sur la responsabilité pécuniaire des agents des services publics, [1953].

10. D. Barjot et H. Morsel (dir.), *La Nationalisation de l'électricité en France, nécessité technique ou logique politique ? 1946-1996*, actes du 11e colloque de l'Association pour l'histoire de l'électricité en France, 3-5 avril 1996, Paris, PUF, 1996, p. 41.

11. Arch. nat., F90 bis 656, note du directeur du budget et de la comptabilité sur l'autonomie financière des PTT, 9 juillet 1946. La Poste dispose depuis la loi du 30 juin 1923 d'un budget annexe. Une individualisation comptable permet d'ajuster les dépenses notamment à la croissance des recettes, mais le budget annexe n'a pas la personnalité morale et les opérations s'exécutent comme les opérations du budget général de l'État.

12. M. Lordonnois, *La Réforme de la comptabilité des PTT*, 1952, p. 6.

d'une « comptabilité analytique » dégageant quelques coûts fonctionnels. À partir de 1958, la comptabilité distingue désormais dans sa présentation les trois branches de La Poste, des Télécommunications et des Services financiers[13].

Un métier de l'écrit

Dans les pratiques, l'écriture comptable est identique dans sa forme, quelle que soit la taille du bureau. Les fonctions des comptables sont toutes de description, de contrôle, d'exécution et de conservation[14]. La responsabilité personnelle et pécuniaire est au cœur du dispositif de gestion et de contrôle dont elle vise à assurer le fonctionnement[15] : l'activité est contrainte et le contrôle est strict. Le receveur, qui dépend hiérarchiquement du directeur départemental, et du point de vue comptable de l'agent comptable régional centralisateur des écritures, est contrôlé sur les plans administratif et comptable par l'inspecteur principal départemental. Après avoir subi un contrôle inopiné, le receveur doit répondre aux injonctions de l'inspecteur par écrit sur le rapport de vérification établi par ce dernier. Cette méthode s'inscrit dans la conception traditionnelle du service de l'État, fondée sur la relation de subordination hiérarchique matérialisée par l'écrit[16]. L'administration postale protège un ordre comptable et financier. Contrairement à ce qui se passe pour les percepteurs, la dimension relationnelle avec l'ordonnateur varie donc peu.

Les tentatives de différenciation de la tenue des comptes selon la taille du bureau engagées par l'administration centrale échouent. Elles renvoient à des enjeux portés par des corps. En 1956, l'inspection générale des PTT tente d'alléger les tâches d'écriture des receveurs en supprimant la tenue des documents comptables dans les dernières classes : les receveurs s'y opposent car ils craignent de voir déclasser leur emploi[17]. La simplification possible du travail grâce à la centralisation au niveau des bureaux de classes supérieures (où la comptabilité serait établie par des centralisateurs locaux d'après une classification élémentaire) rencontre également l'hostilité de nombreux directeurs régionaux. Le projet de centralisation reçoit en revanche

---

13. P. Maffre, *La Comptabilité dans l'enseignement postal*, Paris, Comité pour l'histoire de La Poste, 1995. Le problème des frais généraux ou indirects à imputer aux fonctions reste entier.

14. J. Magnet, *Éléments de comptabilité publique*, Paris, LGDJ, 1996, 3e éd., p. 28-29.

15. J. Charrier, « La responsabilité du comptable », in *La Comptabilité publique…*, *op. cit.*, p. 162.

16. J.-M. Auby *et al.*, *Traité de science administrative*, Paris-La Haye, EPHE-Mouton, 1996, p. 759-780.

17. Ministère des PTT, *Rapport annuel de l'Inspection générale des PTT*, 1956, p. 48.

l'approbation des chefs de centres de comptabilité régionale, à la condition que la comptabilité simplifiée soit transmise directement au centre régional de comptabilité [18].

Les règles et les pratiques comptables restent donc généralement uniformes dans les années 1950, quelle que soit la taille du bureau de poste. Les règles juridiques élaborées dans le cadre du statut préservent-elles en revanche une marge d'adaptation à la diversité des fonctions ?

Le statut : la préservation d'un corps unique et de carrières diversifiées

Le statut général des fonctionnaires doit être clairement distingué des règles que les PTT se donnent [19]. Celles qui déterminent l'avancement et la gestion du corps des receveurs sont le produit de traditions propres aux PTT ainsi que des rapports de force syndicaux et parlementaires spécifiques au contexte du lendemain de la Seconde Guerre mondiale.

Champs d'influence et luttes syndicales autour d'un statut

Le statut des receveurs regroupe dans un corps unique des agents d'exécution, de maîtrise et des cadres. Soutenu par le directeur général de la Poste, le statut est toutefois difficile à faire accepter par le directeur du personnel des PTT, le directeur général de la fonction publique et le directeur du budget. En 1948, il est adopté comme un *statu quo* entérinant l'acquis de l'entre-deux-guerres. En effet, le corps se trouve à cheval sur les trois catégories A, B et C de la fonction publique, alors que les nouveaux principes impliqueraient qu'il n'appartienne qu'à une seule d'entre elles. Un projet de décret de la direction générale des Postes portant statut du corps des receveurs et chefs de centre de juin 1948, soutenu par les organisations professionnelles et syndicales, maintient un corps unique de débouchés, malgré l'opposition du directeur du personnel des PTT, qui adopte une attitude « rigoriste » par rapport aux injonctions de la direction générale de la fonction publique [20].

En 1956-1957, cet acquis est remis en cause lorsque la direction de la fonction publique, dans le cadre d'une révision générale de la catégorie A, est

---

18. Arch. nat., F90 bis 1010, enquête de M. Bretton, directeur régional d'Orléans, sur les conditions de vie et de travail des agents dans les bureaux des petites classes, juin 1958.

19. G. Thuillier, « La demande en histoire administrative », *Études et documents*, III, Paris, CHEFF, 1991, p. 474-475.

20. Arch. nat., F90 bis 999, projet de décret du statut du corps des receveurs et chefs de centres, 19 juin 1948.

conduite à élaborer deux statuts distincts, ceux des receveurs des catégories A et B. La direction du budget est favorable à ce nouveau statut[21]. Au même moment, aux finances et aux douanes, est d'ailleurs adopté le principe d'une carrière unique pour les cadres de catégorie A[22]. Une réunion à l'initiative de l'amicale des receveurs[23], comprenant l'ensemble des représentants syndicaux, aboutit *in extremis* à un autre projet unitaire proposé par l'administration des PTT (malgré l'opposition une nouvelle fois du directeur du personnel[24]). Ce projet est finalement adopté par la direction de la fonction publique et celle du budget. Un consensus pour maintenir un corps unique s'est ainsi solidement constitué entre les syndicats, la direction générale des Postes et les vues des ministres des PTT, qui ont fait partager ce point de vue aux parlementaires.

Un modèle d'ascension républicaine ?

Dans la pratique, l'avancement de grade est possible à l'ancienneté dans la proportion des deux tiers puis d'un tiers des promotions par an[25]. Le corps permet une promotion interne plus large de la catégorie B vers la catégorie des cadres que celle réglementairement fixée par le statut général des fonctionnaires. Les modalités de sélection des receveurs s'inscrivent dans un système d'avancement où le principe d'ancienneté est appliqué de façon particulière : à condition de ne pas être mal noté, l'avancement de grade est envisageable par chacun. En fait, ce mode d'avancement ne s'apparente pas au « modèle républicain » auquel certains se réfèrent parfois[26], ni à une sélection au « mérite » exprimé par la notation. Il n'est pas inspiré par la promotion sociale telle qu'elle existe pour les administrateurs brevetés de l'École nationale supérieure des PTT, car les receveurs restent des autodidactes sans formation. Ce mode d'avancement s'inscrit en outre dans un contexte démographique favorable, avec la poursuite de l'entrée des classes creuses sur le marché du travail jusqu'à la fin des années 1950.

21. *Bulletin de l'association amicale des receveurs et des chefs de centre des PTT*, février-mars 1958.

22. *Bulletin de l'association amicale des receveurs et des chefs de centre des PTT*, novembre 1956.

23. *Le Maître de Poste*, n° 4, mai 1957.

24. Arch. nat., F90 bis 1006, note du directeur du personnel au directeur général des Postes, 21 avril 1959.

25. Ministère des PTT, DIPAS, *Dossier personnel*, « Receveur ou chef de centre, un métier à part », juin 1980. La proportion de l'avancement échue aux receveurs varie donc notamment en fonction des changements démographiques.

26. J.-L. Bodiguel, « Une voie de la promotion sociale : la fonction publique ? », in S. Berstein, O. Rudelle (dir.), *Le Modèle républicain*, Paris, PUF, 1992, p. 283-304.

Pourtant ce système d'avancement est justifié à l'intérieur des PTT par les valeurs d'égalité et les vertus démocratiques de la promotion interne. Il existe ainsi une tension entre la conception théorique des zélateurs de la promotion sociale[27] et le réalisme de l'amicale, des syndicats et de la direction générale des Postes[28]. Ce système perdure dans une société où l'institution scolaire devient le mode principal de sélection sociale. Il n'est pas explicité dans la gestion du personnel de l'époque et fonctionne sur ses acquis. La Poste réalise donc une adaptation originale du statut des receveurs entre tradition républicaine et fonction publique.

Quatre types de carrières

Le statut préserve la possibilité de carrières diversifiées à l'intérieur du corps des receveurs, que nous avons reconstitué grâce à une étude quantitative des carrières[29]. Quatre types de carrières ont pu être distingués : les receveurs qui entrent dans le corps des recettes au niveau le plus bas pour en sortir au niveau le plus haut, ceux dont l'ascension tout en commerçant en bas s'arrête plus tôt, ceux qui deviennent receveurs directement au niveau cadre, et enfin ceux qui restent en dessous du niveau cadre, mais pour lesquels l'accession dans le corps constitue également une promotion. Cette organisation, en préservant les perspectives de carrière pour tous, maintient une motivation chez les receveurs[30].

Le statut du corps des receveurs regroupe ainsi dans un corps unique des chefs de niveaux très différents, mais préserve une diversité de carrière correspondant à la variété du terrain, qu'il est utile d'aborder maintenant.

---

27. La « véritable » promotion définie par les lois Debré de 1959 est celle qui permet à un cheminot de base non pas de devenir cadre cheminot, mais de quitter le chemin de fer pour aller dans une tout autre direction. Selon cette définition, la promotion sociale doit permettre qu'un Bachelard, d'employé des PTT, puisse devenir professeur d'université. Cf. G. Thuillier, *La Promotion sociale*, Paris, PUF, 1977, p. 20-22.

28. « Il faut que la promotion sociale qui fait la force et le sérieux de notre administration permette aux agents de valeur de s'élever dans la hiérarchie [...]. Comment, sinon, réglerait-on sur les plans administratif et humain, l'avancement de dizaines de milliers d'agents d'exploitation et de contrôleurs, si on les bloque à telle ou telle classe ? Nous sommes adversaires des mandarinats », *Bulletin de l'association amicale des receveurs et des chefs de centres des PTT*, mars 1957.

29. Cette étude est fondée sur la saisie et le traitement de 1 200 feuilles de carrière, dont 300 feuilles de carrière de receveurs.

30. Arch. nat., F90 bis 1010, enquête de M. Bretton, directeur régional d'Orléans, sur les conditions de vie et de travail des agents dans les bureaux des petites classes, juin 1958.

La variété des pratiques de gestion d'un bureau de poste

À la mission de comptable public correspondent donc une uniformité de pratiques comptables et un isolement du receveur privé des contacts avec les usagers du bureau de poste. Mais le receveur a aussi pour seconde mission d'assurer le fonctionnement du téléphone, du courrier et des services financiers du bureau dont il est le chef : ces attributions font de lui le garant traditionnel du bon fonctionnement de la communication à l'égard de tous, et témoignent d'une très grande diversité de tâches et de situations, malgré l'uniformité des sources juridiques des obligations du receveur.

Centralisation de la gestion et des règles

La réglementation intérieure des bureaux établie au niveau central, régional et départemental concerne tous les bureaux, quelle que soit leur taille. Elle correspond au souci d'englober tous les cas de figures susceptibles de se présenter. La gestion du personnel (à l'exclusion de celle des auxiliaires), l'organisation des tournées de distribution, des guichets et du service téléphonique sont entièrement fixées à la direction départementale. En outre, en matière de déconcentration de l'autorité, les « difficultés budgétaires ne permettent guère de donner trop d'indépendance aux chefs subordonnés[31] ».

Le manuel du « chef immédiat[32] » et le guide du receveur[33] définissent les activités liées au commandement sans faire de distinction selon la taille du bureau. Responsable des services du courrier, financiers et téléphoniques, le receveur surveille et contrôle, en premier lieu, son personnel. Tout en exerçant un contrôle journalier sur l'ensemble des opérations effectuées par le personnel du bureau, le receveur doit exercer un contrôle tout particulier sur les agents de la distribution[34]. Il est, en second lieu, guide instructeur, notamment auprès des auxiliaires. Il incite son personnel à passer le concours, et il lui arrive souvent, dans les années 1950, de donner lui-même à ses agents des

31. Arch. nat., F90 bis 656, note de la direction générale des Postes, 5e bureau, au ministre, en réponse à la note n° 130 du 25 avril 1947 du contrôleur général Bourniquel relative aux principes et mesures concernant les économies et l'amélioration du rendement.

32. P. Neveu est une figure de l'administration postale et de l'école syndicale de FO dans les années 1950. Son *Guide du chef immédiat et direct* publié en 1951 n'a pas un caractère officiel ; ce manuel ne donne pas les sources juridiques des obligations des receveurs. P. Neveu, *L'Organisation des bureaux de poste. Le guide du chef immédiat et direct*, [sans éditeur], 1951.

33. Ministère des PTT, *Guide du receveur intérimaire*, Paris, Imprimerie nationale, 1956. Cette publication officielle comprend certaines références aux sources juridiques des obligations des receveurs.

34. *Ibid.*, p. 9.

cours le soir après le service[35]. C'est à l'inspecteur ou, en son absence, au receveur d'enseigner au personnel d'exécution le savoir-faire professionnel. C'est enfin un organisateur : il doit mettre chacun à la place où il produit le plus[36] et réaliser des économies dans la gestion du matériel. Il doit respecter l'organisation fayolienne du travail en particulier dans les grands bureaux : elle doit « serrer le plus possible la distribution des fonctions », leur hiérarchie, leur moment d'intervention dans le travail, de manière à permettre des liaisons par un trajet minimum des personnes et des documents[37].

Diversité des pratiques

La part d'activité consacrée par le receveur au téléphone, au courrier ou aux services financiers est très variable, comme l'indiquent les témoignages des receveurs sur les années 1950[38]. Elle varie selon l'importance du bureau et sa localisation géographique, selon qu'il est situé en zone rurale, dans les bourgs, les grandes villes, les banlieues minières, les zones résidentielles ou industrielles. Le receveur est plus directement en contact avec les usagers selon qu'il dispose ou non d'agents d'encadrement. La gestion du téléphone dans les petits bureaux ruraux, celle des bons du Trésor dans les banlieues minières, celles des mandats internationaux à proximité des usines, celle du courrier dans les provinces où l'on parle le patois témoignent d'une diversité qui se réduit difficilement à une simple typologie distinguant milieux urbain et rural.

D'après les sources syndicales et associatives et les témoignages recueillis, le receveur a un rôle social vis-à-vis de son personnel. Ce rôle diffère notamment selon la localisation du bureau. Dans les années 1950, dans les grandes villes, il aide son personnel à se loger et à se nourrir. Il participe à la création de cantines, de foyers des PTT et à la gestion des sections départementales de la Mutuelle générale des PTT[39]. En milieu rural et dans les bourgs, il organise des sorties et des tombolas.

---

35. Réponse au questionnaire n° 88, agent né en 1929.

36. P. Neveu, *op. cit.*, p. 95.

37. A. Chassaing, *Conférence sur l'organisation du travail*, Paris, ministère des PTT, 1947, p. 35. Cf. également S. Rials, *Organisation et administration*, Paris, Beauchesne, 1977 (qui, entre autres, montre les débuts du fayolisme dans l'administration).

38. Nous avons collecté 130 témoignages par questionnaire (comprenant des questions fermées, semi-ouvertes et ouvertes), selon la méthode de J. Ozouf et M. Ozouf, *La République des instituteurs*, Paris, Le Seuil, 1992, p. 339-357. Nous avons également pu étudier les récits des receveurs collectés entre septembre 1995 et février 1996 sous la forme d'un concours autobiographique organisé par le Comité pour l'histoire de La Poste. Cf. M. Le Roux (dir.), *Mémoires d'algérie, une génération de postiers raconte*, Paris, Textuel, 1998; J. Manach et A. Vignau, *Une vie de receveur*, Paris, Comité pour l'histoire de La Poste, 1999.

Certes, déjà développées durant la Seconde Guerre mondiale, les préoccupations sociales de l'administration postale s'accroissent. La précocité des recrutements et le bouleversement psychologique et social qu'entraîne le déracinement du personnel posent en effet des problèmes qui ne sont que très partiellement résolus, alors que les difficultés de ravitaillement et les pénuries alimentaires persistent (en 1946, le budget du service social est modique[40]). Mais le rôle social du receveur n'est pas une simple délégation de l'administration, qui apparenterait sa responsabilité à un mode de gestion dite « paternaliste », comme dans les banques[41]. Ce rôle est en fait orienté par la participation à la vie associative, à forte dose de mutualisme, de solidarité et d'inscription locale dans des réseaux de militants syndicalistes ou sociaux.

La réglementation se révèle donc compatible avec la diversité des pratiques de gestion d'un bureau de poste.

La construction administrative du corps des receveurs à l'intérieur du statut général de la fonction publique dans les années d'après guerre s'inscrit dans une conception traditionnelle du service public. La mission principale est définie par des textes de portée générale, le statut particulier du corps est élaboré en fonction de l'organisation de débouchés internes, et les tâches de gestion du courrier et des services financiers sont présentées de façon uniforme, sans référence à l'usager.

Mais le cas des receveurs, tout en s'inscrivant dans ce modèle, le nuance sensiblement : il montre une diversité des carrières préservée par le statut, et une diversité dans les pratiques de gestion d'un bureau de poste. Le statut juridique du corps est le produit de traditions propres aux PTT et des conditions particulières du contexte de son élaboration. Donc on peut dire à la fois que dans cette période et dans ce secteur, le service public n'a pas la rigidité qu'on lui prête souvent, et que des agents de l'État comme les receveurs cultivent simultanément leur intérêt direct en luttant pour l'unicité du corps au niveau national et l'adaptation à la voix de la société à l'échelon local.

L'étude spécifique des missions de service public qui mettent en contact le receveur avec l'usager (alors que la mission de comptable public l'en écarte) a l'intérêt de restituer la diversité, dans un univers où tout semble en première

39. Archives de la Mutuelle générale des PTT, Assemblée constitutive sous la présidence de M. Calviac, 12 juillet 1945.

40. Le budget du service social est de 129 millions de francs en 1946. En 1963, plus de 1 500 bureaux sont desservis par des coopératives, plus les livraisons à domicile. B. Saisset, *Les Coopératives des PTT*, mémoire de maîtrise, université de Paris-I, 1973, p. 91 et p. 113.

41. H. Bonin, « La maturation de la professionnalisation bancaire en France des années 1910 aux années 1950 », in P. Guillaume (dir.), *La Professionnalisation des classes moyennes*, Talence, Éditions de la MSHA, 1996, p. 135.

analyse principalement déterminé par le droit. La question de la marge d'adaptation à la diversité locale permet quant à elle de s'interroger de nouveau sur la marge de liberté offerte par les statuts et leur mise en œuvre à l'intérieur d'un service public[42]. Elle complète ainsi l'histoire administrative des statuts et des idées juridiques par l'histoire sociale des pratiques individuelles et collectives[43].

L'originalité du corps des receveurs, cultivée par ses membres, paraît en tout cas avoir été pour les intéressés une source d'identification sociale. Ce travail sera donc complété par l'étude de la façon dont il influence les pratiques sociales et les représentations[44].

---

42. Cf. la conclusion générale de l'ouvrage de J. Siwek-Pouydesseau, *Le Syndicalisme des fonctionnaires jusqu'à la guerre froide, 1848-1948*, Lille, Presses universitaires de Lille, 1989.

43. Y. Lequin et S. Vandecastele (dir.), *Itinéraires sociaux dans l'entreprise*, Lyon, PUL, 1991, p. 15.

44. S. Schweitzer, « Industrialisation, hiérarchies au travail et hiérarchies sociales au XXe siècle », *Vingtième siècle*, 54, avril-juin 1997, p. 115.

Les facteurs et l'espace urbain (1946-1990)

Marie Cartier[1]

En octobre 1946 est promulgué le statut général de la fonction publique qui contribue à rattacher le corps des postiers à l'ensemble de la fonction publique. Suite à la loi du 2 juillet 1990 relative à l'organisation du service public de La Poste et des Télécommunications, La Poste, ancienne administration d'État devient le 1er janvier 1991 une entreprise ayant le statut juridique d'établissement public industriel et commercial. De 1946 à 1990, les « facteurs » constituent un ensemble d'individus effectuant un même travail et occupant un même grade au sein du corps de la distribution et de l'acheminement. Retracer leur histoire dans la période contemporaine, c'est reprendre la question de l'institution publique que fut l'administration des Postes. Les facteurs sont tout à la fois des agents subalternes situés au bas de la hiérarchie de La Poste et des agents qui en raison de la nature de leur tâche, la distribution journalière du courrier, sont amenés à entrer en contact avec la population locale. Ils constituent ainsi un angle d'observation privilégié de l'action concrète de l'État. Alors que les facteurs « ruraux » sont un sujet prisé par les médias nationaux, les journaux professionnels de La Poste et aussi le cinéma[2], les facteurs « urbains » ont moins attiré l'attention. Pourtant, alors que la seconde moitié du XXe siècle a été marquée entre 1950 et 1970 par un processus d'urbanisation intense aux aspects et aux conséquences multiples, il est particulièrement intéressant d'étudier les facteurs qui ont été tout à la fois témoins, victimes et acteurs des transformations matérielles et symboliques de l'espace urbain (telle que par exemple l'émergence des « grands ensembles »).

---

1. AMN, université de Metz. Cette étude s'insère dans une thèse de doctorat, *Des facteurs et leurs tournées. Une élite populaire dans la France de la seconde moitié du XXe siècle*, F. Weber (dir.), EHESS, 2002.

2. Pensons par exemple au film de Jacques Tati, *Jour de fête*, qui date de 1949.

Je présente ici, dans ses grandes lignes, un projet de recherche qui fait suite à une enquête ethnographique réalisée en 1997 dans un bureau de poste de la région parisienne[3]. L'accent est mis principalement sur l'état des sources et sur les hypothèses relatives à l'évolution du travail et du groupe professionnel des facteurs de 1946 à 1990[4]. S'il s'agit bien d'étudier les facteurs sous l'angle des formes d'habitat et d'habitants auxquels ils ont affaire, en faisant une place importante à l'élucidation des mécanismes sociaux et institutionnels qui orientent les relations entre les facteurs et les « usagers » ou « clients », on ne saurait cependant séparer le travail des facteurs de l'organisation dans laquelle il s'inscrit. Il convient donc de prêter attention à la place du facteur dans la division du travail à La Poste en s'interrogeant sur les conséquences des innovations techniques et des modifications du cadre réglementaire qui ponctuent la période. Enfin, pour comprendre les relations des facteurs avec l'espace local (un territoire et des populations), il faut reconstituer les trajectoires professionnelles et les trajectoires sociales des individus qui durant la période étudiée ont exercé ce métier. C'est en tenant ensemble ces différentes perspectives qu'on peut réussir à comprendre la place et le rôle de cet emploi public, ni tout à fait « ouvrier » ni tout à fait « employé », entre subordination et indépendance, dans la société française de la seconde moitié du XXe siècle.

Repérage des sources et problèmes rencontrés

La nature même des questions posées suggère l'adoption d'une perspective locale. Il faut trouver une échelle d'observation historique permettant de référer concrètement le travail des facteurs au contexte urbain où il s'exerce. On peut penser à un grand bureau de poste où les quartiers desservis seraient très différents, allant de la « tournée rurale » à la « tournée bâtiment ». Un terrain d'étude approprié pourrait être la Seine-et-Marne qui a connu une forte urbanisation dans la seconde moitié du XXe siècle alors que l'ancienne Seine-et-Oise avait commencé son développement comme banlieue parisienne avant la Première Guerre mondiale[5].

Cependant avant de faire ce choix, un repérage général des sources était nécessaire. Un premier état des sources disponibles dans le fonds versé aux Archives nationales peut être dressé.

---

3. M. Cartier, *Les Facteurs*, mémoire de DEA de sciences sociales, F. Weber (dir.), ENS-EHESS, 1997.
4. La situation de la recherche dans l'ensemble des travaux consacrés à l'histoire de La Poste, à l'histoire sociale des employés, à l'histoire de l'administration et des fonctionnaires et enfin à l'histoire de l'espace urbain, ne sera pas donnée ici.
5. Voir Y. Lequin, *Histoire des français, XIXe-XXe siècle*, Paris, Armand Colin, 1984.

Les dossiers des grèves (nationales ou locales) intervenues dans les services de distribution permettent de recueillir des informations sur les conditions de travail à travers les revendications formulées par les syndicats (par exemple dans les années 1950 « la durée excessive du travail », « l'exiguïté et l'insalubrité des locaux »), ou à travers les comptes rendus effectués par des cadres de l'administration. Ils offrent également un aperçu sur les problèmes auxquels est confronté le service de la distribution dans la période étudiée, le principal étant la hausse spectaculaire du trafic à effectif constant. Ils témoignent enfin des conditions d'application du droit syndical prévu par le statut de 1946. Une source de cette nature doit être contrôlée par un point de vue global sur l'engagement syndical des facteurs et leur tendance à la mobilisation.

Pour ce qui est de l'organisation du travail, les rapports des inspecteurs généraux consacrés au service de la distribution dans tel ou tel département, souvent très détaillés, constituent une source riche en données matérielles (nombre de tournées, horaires de travail, volume et structure du trafic, organisation de l'encadrement du receveur au facteur chef). Ils permettent aussi de dégager certains aspects de la relation triangulaire, facteurs, administration et usagers. Ainsi, plusieurs rapports font état du manque d'encadrement des facteurs. D'autres rapports proposent des aménagements qui soulignent en creux les difficultés spécifiques à la distribution : campagne menée par l'administration dans les années 1950 et 1960 pour obtenir l'installation de boîtes aux lettres particulières sur le bord de la voie publique ou projet, face à l'importance du nombre d'accidents de la circulation, de sensibiliser les usagers au danger qu'implique le « petit verre » offert au facteur[6].

Concernant les relations directes entre les facteurs et les usagers, les sources institutionnelles sont pauvres. Les procès-verbaux des conférences régionales des usagers donnent accès au point de vue des gros usagers de La Poste : industriels et commerçants, représentants des Chambres de commerce, directeurs de journaux[7]. Les lettres de réclamation adressées aux receveurs ou parfois au ministre des Postes peuvent se révéler très intéressantes. Elles donnent à voir la perception du facteur qu'a tel ou tel habitant selon ses caractéristiques sociales. Les dysfonctionnements qu'elles exposent permettent de mettre au jour l'ambiguïté de la distribution du courrier : service tout à la fois « public » et « personnel ». La principale limite de cette source est qu'elle donne accès au point de vue d'une frange particulière de la population (maîtrise de l'écriture et de la correspondance administrative, rapport particulier à l'administration, lié par exemple à la nature de la profession).

6. *Rapport sur la prévention des accidents du travail dans les PTT*, juillet 1957, Arch. nat. 800 292-2.

7. Il est question des tarifs, de l'amélioration de l'adressage et de l'obtention de boîtes aux lettres supplémentaires.

Plus pratiquement, ces lettres de réclamation sont difficiles à localiser dans l'ensemble du fonds.

De manière générale, ce fonds d'archives donne peu de renseignement sur l'activité quotidienne des facteurs, sur les définitions pratiques et personnelles du métier et la place qu'il occupe dans les biographies individuelles. On trouve néanmoins des dossiers concernant la « vente des quartiers[8] » dans les années 1950. Les commentaires de la hiérarchie et les réclamations des facteurs pour contester la manière dont leur ancienneté était comptée[9] montrent à quel point l'obtention de tel ou tel quartier est un enjeu d'une extrême importance pour les facteurs. À partir de ces documents, on comprend que les tournées « lettres » sont plus recherchées et valorisées que les tournées « imprimés », mais ils ne donnent pas les moyens d'élucider convenablement les raisons du choix de tel ou tel quartier. À partir de quelle source dès lors vérifier l'hypothèse selon laquelle, dans le nouveau paysage urbain qui se compose dans les années 1950 et 1960, les tournées de centre ville seraient plus recherchées et donc plus stables que les tournées périphériques ? À un niveau local, il faudrait essayer de reconstituer les durées d'affectation sur tel ou tel type de tournées, c'est-à-dire de quartiers, en vue de mettre au jour la stabilité différentielle des territoires de l'espace urbain du point de vue du service postal. Ce serait une perspective adéquate pour étudier le rôle que l'administration des Postes a effectivement joué par l'intermédiaire de ses agents dans la construction sociale de l'espace urbain.

Les sources permettant d'entreprendre une reconstitution des carrières des facteurs existent bien. Il s'agit des dossiers de personnel. Ces dossiers ne sont pas nombreux au sein du fonds des Archives nationales car le personnel de la distribution était géré à l'échelon départemental. Les dossiers utiles pour la période étudiée n'ont pas encore été versés aux Archives départementales. Le problème principal est ainsi l'accès à ces dossiers. La Poste, pour des raisons multiples, ne facilite pas sur ce point le travail des chercheurs. Les questions qui nous importent ne requièrent pourtant qu'une étude statistique anonyme : dans quelle mesure le grade de préposé fut-il dans cette période de développement et de modernisation de La Poste, à lui seul une promotion ou au contraire un grade de début débouchant sur une carrière dans l'administration ?

---

8. Est ainsi désignée la procédure de répartition des tournées aux facteurs titulaires selon l'ancienneté et la notation.

9. Il existe par exemple un conflit récurrent entre les vieux facteurs et les jeunes télégraphistes entrés adolescents à La Poste et pour lesquels la durée du service militaire est comptabilisée dans le décompte de l'ancienneté. Les vieux facteurs se trouvent face à des facteurs plus jeunes, mais qui ont néanmoins plus d'ancienneté qu'eux et choisissent donc en premier leur tournée.

Dans quelle proportion les préposés à la distribution demandaient-ils leur affectation à l'acheminement ? L'affectation sur une tournée « rurale » constituait-elle l'horizon des carrières des facteurs ?

Des statistiques élémentaires concernant le personnel des PTT sur l'ensemble de la période sont disponibles mais pas toujours facilement exploitables. Ainsi, pour la période de 1946 à 1969 un document intitulé *Répartition des emplois* [10] fournit les effectifs budgétaires année par année des emplois correspondant aux différents grades du corps de la distribution. Le simple comptage du nombre de « facteurs » sur l'ensemble de la période pose le problème de savoir si on réunit facteurs du service postal et facteurs du service télégraphique, facteurs auxiliaires et facteurs titulaires. À partir de 1969, un document est édité par la Direction du personnel et des affaires sociales intitulé *Statistiques de personnel.* On y trouve une grande variété de données concernant par exemple la pyramide des âges des différents corps ou encore l'origine sociale ou géographique des agents. Mais les « facteurs » n'ont ici aucune existence administrative : la majorité des données concernent les « préposés », grade qui regroupe les préposés travaillant dans les centres de tri et ceux qui travaillent dans les bureaux de poste à la distribution[11]. Finalement ce sont les *Statistiques postales* éditées depuis 1963 qui constituent le document le plus approprié à une recherche sur les facteurs. On y trouve en effet des données concernant l'évolution du nombre de « tournées » ainsi que le volume et la structure du trafic postal. La distinction effectuée entre « préposés à l'acheminement » et « préposés à la distribution » permet, au moins en ce qui concerne les effectifs à partir de 1970, de repérer les facteurs. Ces statistiques élaborées dans une perspective professionnelle sont variables d'une année sur l'autre. Ainsi, un usage systématique permettant de retracer une évolution sur la période 1946-1990 n'est pas toujours possible.

Ces sources écrites sont indispensables pour saisir l'organisation institutionnelle du travail et du groupe professionnel des facteurs et ses évolutions. Elles peuvent aussi permettre un cadrage global. Mais elles ne donnent pas les moyens de saisir l'organisation et les réalités officieuses du travail.

---

10. *Répartition des emplois*, ministères des Postes et Télécommunications (PB 132 au fonds conservé à l'ancienne bibliothèque du ministère des P et T, avenue de Ségur).

11. Ce problème se pose également pour les statistiques nationales. Dans la classification des CSP de 1982 qui est utilisée par l'Insee dans les recensements et les enquêtes « emploi », les facteurs sont groupés avec les préposés à l'acheminement qui travaillent notamment dans les centres de tri, sous la catégorie « préposés des PTT ». Cette ambiguïté n'est pas toujours perçue, voir A. Chenu, *Les Employés*, Paris, La Découverte, « Repères », 1994. Pour ce qui est de la nomenclature antérieure, datant de 1954, la distinction pour le groupe des employés entre le secteur public et le secteur privé est abandonnée en 1962, ce qui rend également difficile l'usage des documents établis par l'Insee pour caractériser le groupe des « facteurs ».

On peut penser par exemple aux traditionnelles « étrennes du facteur » dont l'existence officielle date de la seconde moitié du XIXe siècle et qui constitue un moment privilégié des relations entre les facteurs et la population locale. Ainsi, la conclusion principale au terme de ce premier repérage, est la nécessité de recourir à des archives orales. Ce type de sources doit permettre d'avoir accès tout à la fois aux aspects quotidiens du travail et à la diversité individuelle des pratiques et des significations qui lui sont attachées. Elles fourniront également un matériau pour mettre en relation l'histoire du travail avec l'histoire des modes de vie et des pratiques culturelles d'une part et les trajectoires sociales individuelles et familiales d'autre part. Par exemple, le service social des PTT étant traditionnellement important et particulièrement développé durant la période, notamment en ce qui concerne le logement, dans quelle mesure l'administration et les relations professionnelles influent-elles sur la vie hors travail des facteurs ?

C'est en réunissant ces échelles d'observation différentes qu'on peut poser la question des conditions sociales d'existence du groupe des facteurs et de sa place dans la société française depuis la Seconde Guerre mondiale.

Aperçus et hypothèses sur les évolutions et les permanences du travail des facteurs entre 1946 et 1990

Des processus importants du point de vue du travail des facteurs peuvent être repérés. Il est probable qu'un tournant se joue vers la fin des années 1960 et le début des années 1970 : la crise et le chômage, les transformations structurelles du marché du travail modifient la nature du recrutement sur les emplois de facteurs. D'autre part, alors que le début de la période est marqué par une hausse du trafic des correspondances qui implique développement et modernisation, la fin de la période se caractérise plutôt par le déclin du service postal par rapport aux moyens modernes de communication. Cette évolution est-elle synonyme pour les facteurs d'une dévalorisation de leur travail ? On peut enfin se demander quelles ont été les conséquences de l'affirmation d'une logique entrepreneuriale contre la logique administrative de plus en plus explicite dans les années 1970 et 1980, sur la définition et l'organisation du travail des facteurs.

Les changements institutionnels

Du point de vue institutionnel la période s'ouvre sur le rattachement des postiers à l'ensemble de la fonction publique à travers le statut octroyé en 1946. Tout au début du XXe siècle, les postiers se considéraient moins comme des fonctionnaires que comme les agents d'un service industriel et commercial [12]. Ainsi réclamaient-ils l'exercice du droit syndical plus qu'un statut. Quelles ont été pour les facteurs les conséquences de ce statut ? La réforme du corps des « employés » de 1957 s'inscrit dans le prolongement du statut de 1946. Elle introduit pour les facteurs, chargeurs et manutentionnaires, l'appellation de « préposé » et les nouveaux grades de « préposé spécialisé » et « préposé conducteur ». Le statut de 1946 ayant institué une parité entre les différentes catégories de fonctionnaires, la catégorie homologue du facteur est celle de préposé des Douanes. Or les préposés des Douanes se voyant accorder au début des années 1950, dans le cadre du reclassement de la fonction publique, un certain nombre d'avantages, les représentants du personnel réclament tout au long des années 1950 le maintien de la parité avec les Douanes en ce qui concerne les possibilités d'avancement. La réforme s'inscrit aussi dans une tradition de changement des titres attribués aux facteurs : au début du siècle les facteurs étaient officiellement appelés « sous-agents », puis à partir des années 1920, « employés » et enfin en 1957 « préposés ». Ces transformations d'appellations tendent à signifier que le facteur s'éloigne de la condition ouvrière [13].

Cette réforme doit également être reliée au contexte économique. Durant la période de croissance économique amorcée au début des années 1950, les postes d'exécution de la fonction publique sont peu recherchés en raison de leurs bas salaires. Le recrutement est difficile et le personnel en place connaît un fort sentiment de déclassement. L'administration entend aussi remédier aux dysfonctionnements qui affectent le service de la distribution (par exemple la lenteur des travaux préparatoires et le départ tardif des facteurs en tournées entraînant une remise tardive du courrier de la première distribution aux destinataires). La réforme de 1957 développe tout à la fois la formation professionnelle des facteurs et le renforcement de la surveillance. Ainsi, alors que le « carnet de contrôle » où étaient consignés les rendements au tri de chaque facteur disparaît en 1948, est rétabli par une circulaire de 1956 un

12. Voir J. Siwek-Pouydesseau, *Le Syndicalisme des fonctionnaires jusqu'à la guerre froide (1848-1948)*, Lille, PUL, 1989.

13. On peut noter que parallèlement, dans les nomenclatures des catégories socioprofessionnelles de 1954 et de 1982, les « préposés » sont rattachés au groupe des « employés », l'employé étant défini comme un « salarié subalterne non manuel ». Voir A. Desrosières et L. Thévenot, *Les Catégories socioprofessionnelles*, Paris, La Découverte, « Repères », [1988] 1996. La distinction opérée dans la nomenclature de 1982 entre les employés de la fonction publique et ceux des entreprises est corrélative de la cristallisation dans les représentations collectives d'une vision du monde social opposant ceux qui disposent de la stabilité de l'emploi (les « fonctionnaires ») aux autres salariés. À la fin de notre période, les facteurs sont de plus en plus identifiés comme « fonctionnaires », par les usagers mais aussi par les nouveaux postulants à cet emploi qui cherchent avant tout à fuir le chômage et la précarité.

document où le personnel d'encadrement doit consigner les heures de prise de service des facteurs et l'heure de leur rentrée au bureau. Tout en étant une forme de « revalorisation » des emplois d'exécution, la réforme des employés vise aussi à accroître le contrôle professionnel sur le corps des facteurs qui développe, en raison même des conditions d'exercice de son travail, des habitudes d'indépendance.

Quelles furent les conséquences de cette réforme ? La création du grade de « préposé spécialisé » visait à offrir aux facteurs une possibilité de promotion et à accroître la qualification du personnel en vue d'améliorer la productivité en lien avec la motorisation de la distribution, engagée au début des années 1950, et la rationalisation des travaux de tri. La réforme s'applique lentement, sur une période de 4 ans, et se heurte à l'indistinction fonctionnelle dans la pratique entre le travail effectué par le « préposé » et le « préposé spécialisé ». D'autre part, le nombre d'emplois de « préposés spécialisés » demeure relativement restreint alors même que la masse des simples préposés ne se voit accorder aucun relèvement indiciaire. Les rapports des inspecteurs généraux datés des années 1960 qui stigmatisent le manque d'autorité des facteurs chefs et des agents de surveillance suggèrent que le problème du contrôle continue de se poser avec acuité. L'analyse reste, bien entendu, à poursuivre en voyant par exemple comment les facteurs ont vécu ce changement d'appellation et la création de nouveaux grades.

À l'autre extrémité de la période, cette perspective de modernisation et de revalorisation se retrouve à travers la campagne de 1988 pour le « nouveau look » du facteur. Cet événement se rattache à une tradition de changements de l'uniforme du facteur (par exemple en 1961 : disparition du képi et introduction de la casquette). À la fin des années 1980 tout en « modernisant » l'uniforme des facteurs, l'administration met l'accent sur sa position d'« ambassadeur de la poste auprès des usagers ». Le facteur devient un élément central dans la stratégie de communication de La Poste comme en témoigne le spot publicitaire intitulé « Bougez avec La Poste ». La campagne pour le nouveau look du facteur renvoie au nouveau point de vue de la hiérarchie sur le rôle du facteur suite à la diffusion des idées de personnalisation de la relation de service véhiculée par le « management » venu des entreprises privées. Le facteur n'est plus un simple porteur de lettres mais un « agent de contact ». Le changement d'uniforme est organisé sous la forme d'un concours avec consultation du personnel : aux yeux de la hiérarchie, il s'agit d'une première expérience réussie de management participatif. Si la fonction de contact se trouve désormais formalisée et promue par le haut, force est de reconnaître que du point de vue même des facteurs, elle était loin d'être neuve. Au-delà de la modernisation, il s'agit également de réactualiser l'obligation du port de l'uniforme devenue toute formelle (certains facteurs, notamment les jeunes, refusant de le porter) – ce qui nous renvoie à l'évolution de la mentalité et du recrutement de ces « petits fonctionnaires ».

L'activité quotidienne des facteurs

L'administration des Postes se développe et se modernise durant la période étudiée en lien étroit avec la croissance économique tout en conservant sa dimension de service public. Si telle est, grossièrement, l'évolution de l'organisation, qu'en est-il de ses agents subalternes ? L'observation historique de l'activité quotidienne des facteurs invite à nuancer la perspective institutionnelle de la « revalorisation » et de l'éloignement de la condition ouvrière.

Le début de la période est marqué par la dureté des conditions de travail et de vie des facteurs. Cette situation vient d'abord de la dégradation des équipements liée à la guerre et des restrictions budgétaires auxquelles est soumise l'administration des Postes ainsi que de l'inflation galopante qui caractérise l'immédiat après-guerre. On trouve par exemple, jusqu'à la fin des années 1950, des bureaux où les facteurs n'ont pas de poste de travail individuel mais se trouvent à deux par casier ou encore n'ont pas assez de place pour entreposer leur courrier sur les tables de tri. Cette situation tend à perdurer au sein même des années 1950 dans la mesure où se prolonge une situation de pénurie de main-d'œuvre et de restriction budgétaire. Ce problème affecte l'ensemble des postiers comme en témoigne la grève de 1953.

L'administration des Postes fait alors face à une forte hausse du trafic postal (indice 128 en 1954 pour un indice 100 en 1948) et à une extension des opérations financières (13 millions de livrets de la Caisse nationale d'épargne en 1952, 200 millions de mandats en 1952) alors que dans le même temps les emplois budgétaires passent de l'indice 100 en 1948 à 96 en 1954[14]. La situation se détériore particulièrement à la distribution postale : « Alors que le volume du courrier à distribuer augmente de 18,3 %, les effectifs diminuent de 7,4 %[15]. » La politique de stabilisation financière menée par Antoine Pinay à partir de mars 1952 contribue à bloquer les traitements dans la fonction publique. Or ceux-ci ont déjà accumulé un net retard par rapport au secteur privé. Par exemple, le pouvoir d'achat d'un facteur en fin de carrière après 20 ans de service est inférieur en 1953 à celui d'un facteur débutant en 1919[16]. Face à cette situation difficile, la motorisation constitue un moyen de moderniser et de développer la distribution sans accroître les effectifs, à moindre coût.

Sur l'ensemble de la période se dessine cependant une amélioration des conditions de travail. La mécanisation du tri et l'amélioration des conditions d'acheminement du courrier[17] entraînent une diminution de la durée du travail des facteurs : au début des années 1980, seules quelques villes bénéficient encore d'une seconde distribution. La pratique du dépôt relais, en évitant

---

14. Voir J.-F. Noël, *Les Postiers, la grève et le service public*, Paris, Maspéro, 1977, chap. IV.
15. *Ibid.*, p. 74.
16. *Ibid.*, p. 78.

les allers-retours du quartier de distribution au bureau de poste, allège l'effort physique des facteurs. D'un autre côté, la faiblesse des salaires, l'accroissement des rythmes de travail, la dégradation symbolique du métier liée à l'accroissement du port des imprimés sans adresse[18] ou des échantillons publicitaires, l'importance du nombre d'accidents lié au développement de la circulation dans les villes attirent l'attention sur la permanence de conditions de travail difficiles. La motorisation, qui permet une diminution de la fatigue et la maîtrise d'une nouvelle qualification, introduit en même temps de nouvelles sujétions. Le travail de facteur reste fondamentalement ambivalent, à la fois un métier en uniforme, au contact des usagers et un travail physiquement pénible. Durant les années de croissance économique, sous l'effet des progrès de la productivité et de l'extension de l'organisation rationnelle du travail, l'emploi tertiaire se rapproche de l'emploi industriel. Des études ont mis en évidence cette évolution, par exemple pour les employés des chèques postaux[19]. Qu'en est-il pour les « préposés » à la distribution ? L'élévation générale du niveau d'études contribue à retirer aux facteurs, souvent titulaires du certificat d'études au début de la période, le privilège de la maîtrise de l'écrit qui les rapprochait de la petite bourgeoisie. L'exigence de rapidité de la distribution, la rationalisation de l'organisation du travail contribuent-elles parallèlement à restreindre les contacts humains ? Il faut considérer aussi l'évolution des tâches assignées aux facteurs. Au début de la période, en lien notamment avec l'essor du crédit et l'extension de la sécurité sociale, le facteur est amené à réaliser beaucoup d'opérations financières (comme les mandats, le paiement des pensions, ou les retraits sur comptes chèques postaux) sources de responsabilité, de contacts avec les clients et de pourboires. Vers la fin de la période, ces opérations qui contribuaient à diversifier le travail sont moins nombreuses.

L'extension des centres urbains dans les années 1950 et 1960 constitue aussi un problème aigu pour le service de la distribution. Pour remédier à la crise du logement qui fait suite à la guerre et est aggravée par le renouveau démographique, une politique du logement est mise en œuvre à partir de 1953. Elle promeut systématiquement les « grands ensembles » installés à

---

17. En 1958, une machine à trier expérimentale est mise en service. Dès 1960, plusieurs établissements en seront équipés. Parallèlement dans les années 1950 et 1960, le réseau de transport ferroviaire et aérien se développe et la vitesse de l'acheminement s'accroît.

18. Le service des imprimés sans adresse est inauguré en avril 1953. Il va très vite constituer une des activités les plus rentables du service postal mais susciter aussi les réticences des facteurs peu enclins à se transformer en « hommes-sandwichs ». Plusieurs grèves locales de protestation ont lieu en 1956, qui vont contraindre dans un premier temps l'administration à restreindre les conditions d'admission des objets au tarif « imprimés sans adresse ».

19. Voir par exemple M. Crozier, *Petits fonctionnaires au travail*, Paris, CNRS, 1956.

la périphérie des villes. À la fin des années 1950, on construit plus de 300 000 logements par an. L'immigration de main-d'œuvre étrangère mais aussi les migrations internes contribuent à modifier la composition sociale des populations urbaines. Ces phénomènes obligent à des réorganisations successives du découpage des quartiers de distribution et à l'apprentissage de nouveaux plans de tri. Plus précisément, la transformation de l'habitat (avec en particulier l'essor de l'habitat social) transforme les conditions de travail des facteurs. Dans les années 1960, les concierges cessent progressivement de prendre en charge la distribution du courrier dans les grands ensembles. Alors que les équipements en boîtes aux lettres tardent à venir, les facteurs se trouvent, pour une adresse unique, confrontés à un dédale d'escaliers et de couloirs. Un inspecteur général évoque la « charge supplémentaire très sensible » que constitue pour les facteurs la desserte des nouveaux immeubles de la région parisienne. Il souligne le problème que constitue à Nanterre l'installation d'une population nord-africaine relativement importante dans des abris précaires. La distribution du courrier s'effectue dans des conditions aléatoires en raison de « l'absence fréquente de noms patronymiques et des homonymes nombreux ». Le paiement des mandats occasionne de sérieuses difficultés[20]. Les tournées urbaines devenant de plus en plus nombreuses et impliquant des conditions de travail difficiles, on peut se demander si l'obtention d'une tournée rurale ne devient pas l'horizon idéal de la carrière des facteurs.

L'évolution des caractéristiques sociales et professionnelles du groupe

Quelques traits généraux de l'évolution du groupe des facteurs peuvent être mentionnés. L'effectif s'accroît durant la période étudiée : 32 606 facteurs en 1946, 65 975[21] en 1990. À partir de 1972, les femmes ont accès à tous les concours ouverts par les PTT. Le service de la distribution était traditionnellement interdit aux femmes sous prétexte des lourdes charges à porter. Peu à peu le corps des facteurs va se féminiser[22]. Un autre phénomène général est l'évolution de la syndicalisation. Au début de la période, le personnel de la distribution constituait avec celui des centres de tri le bastion de la CGT,

20. « Rapport sur l'exploitation dans la Seine Hors Paris », juin 1957 (Arch. nat. 780 259-246). L'acuité du problème des conséquences de la croissance démographique et urbaine sur le service postal transparaît également dans les journaux professionnels (par exemple « L'évolution démographique et économique dans la Seine Hors Paris », *Revue des PTT*, 11, juillet-août 1956).

21. Ne sont comptabilisés ici que les facteurs titulaires. *Source* : La Poste.

22. En 1990, on compte 29 % de femmes parmi les « préposés des PTT », c'est-à-dire tout à la fois dans les centres de tri et à la distribution ; voir A. Chenu, *Les Employés*, *op. cit.*, p. 45).

syndicat majoritaire aux PTT depuis la fin des années 1940. À partir du milieu des années 1970, le phénomène de désyndicalisation dans la fonction publique affecte aussi le corps de la distribution et contribue à fragiliser l'esprit de corps et la solidarité professionnelle.

À ces processus de diversification du groupe des facteurs, s'ajoute une grande diversité fonctionnelle et statutaire. L'appellation unique de « facteur » dissimule une grande diversité : depuis le « facteur chef » jusqu'au « jeune facteur » du télégraphe en passant par le facteur « imprimés », le « facteur lettres », et le « facteur financier[23] ». À côté de la différenciation du travail sous l'effet des caractéristiques sociales et géographiques du quartier de distribution, il existe une différenciation fonctionnelle selon les objets distribués et les modes de desserte (à pied, en voiture, à bicyclette) et également une différenciation statutaire : sur toute la période coexistent les facteurs auxiliaires qui effectuent des remplacements et les facteurs titulaires d'un quartier de distribution. Les auxiliaires sont à l'origine de la grève de 1974 qui débouche sur une vague importante de titularisation jusqu'en 1978. Le groupe des facteurs est ainsi divisé en catégories dont il faut étudier la hiérarchisation et les relations. L'étude des carrières permettrait d'ordonner cette diversité en mettant ces différentes modalités du travail en relation avec les trajectoires professionnelles. Être « jeune facteur » du télégraphe constitue par exemple au début de la période un mode d'accès particulier au corps de la distribution.

On peut enfin faire l'hypothèse de différents types de carrières. Dans les années 1950 et 1960, l'accélération de l'exode rural qui touche de plus en plus les actifs agricoles vient alimenter la hausse des emplois administratifs. On devrait trouver parmi les facteurs dans ces années-là des enfants d'agriculteurs ou d'artisans ruraux désireux d'accéder à un emploi stable. L'expérience du déracinement (les postiers recrutés entre la fin des années 1940 et le début des années 1950 étant principalement issus de l'Ouest, du Massif central, du Sud-Ouest) est alors partagée par de nombreux postiers, nombre d'entre eux commençant leur carrière dans la région parisienne. Dans cette configuration, le milieu de travail constitue par la force des choses le principal lieu d'ancrage social (hébergement dans les foyers PTT, activités organisées par les services sociaux). Se dessine ainsi un premier type de trajectoire dans laquelle l'emploi de facteur permet une promotion sociale, donne accès au mode de vie urbain, et est à la source d'un esprit de corps. Le recrutement par un concours centré sur la culture générale contribue à cette dimension de « promotion ». Au contraire pour la fin de la période, à partir du milieu des années 1970, le service de la distribution est touché, comme l'ensemble de la petite fonction publique, par le phénomène du recrutement de jeunes surdiplômés

---

23. Cette division du travail de distribution se rencontre surtout dans les grandes villes et en particulier à Paris.

par rapport à leur emploi. Dans quelle mesure ces nouveaux facteurs ont-ils une origine sociale différente, des dispositions et des aspirations différentes ? Peut-on caractériser un autre type de carrière marqué par un rapport au travail plus instrumental et une moins grande identification au milieu professionnel, l'accès à l'emploi de facteur constituant un déclassement plus qu'une promotion ? Comment coexistent ces générations différentes sachant que par ailleurs la stagnation ou la réduction des effectifs diminue les possibilités de mutation et de promotion ? L'analyse des trajectoires sociales et professionnelles individuelles doit ainsi permettre de mieux décrire le groupe dans sa diversité mais aussi de repérer un ordre dans cette diversité.

En complétant l'étude des transformations institutionnelles du corps de la distribution et des dispositifs réglementaires qui organisent le travail des facteurs par la restitution des aspects quotidiens du travail (relations entre les facteurs et les populations dans le contexte des modifications de l'espace urbain) et par la reconstitution des carrières individuelles, on se donne les moyens de comprendre comment l'institution publique que fut La Poste a orienté et façonné les comportements de ses agents et comment ceux-ci en retour ont aussi contribué à en faire ce qu'elle est.

Conclusion

Daniel Roche[1]

Conclure est pour moi une chance toute particulière puisque c'est l'occasion de dire combien le Comité pour l'histoire de La Poste est un atout favorable pour la communauté historienne française – et je ne connais pas ailleurs en Europe semblable initiative – dans la mesure où l'on peut ainsi évaluer loyalement nos besoins et simultanément la demande du monde extérieur et de l'entreprise. Ceux-ci sont dictés dans l'évolution actuelle de la recherche par la volonté d'élargir les horizons de nos travaux, de s'ouvrir aux dialogues les plus variés, et de mieux comprendre d'autres cultures économiques et sociales. Cellc-ci apparaît comme une volonté de mémoire et une capacité à retrouver une tradition riche et diverse. Elle correspond sans doute à un moment de changement majeur, à un temps général de crise qui n'épargne personne et qui induit des interrogations multiples. L'élargissement du marché et l'ouverture européenne, les problèmes posés par la définition, le maintien des services publics, la montée des concurrences aimables ou agressives, l'adaptation d'anciennes structures techniques à de nouvelles dispositions tel que l'Internet et ses réseaux, voilà l'horizon d'une réflexion historique et d'une prise de conscience sur les liens qui se tissent entre le passé et le futur des hommes. La mémoire de tous les acteurs devient moins le moyen de justifier un état de fait et une prise de décision que d'opérer un retour sur soi-même pour préserver et construire.

Le Comité pour l'histoire de La Poste prouve une capacité de l'institution et de l'entreprise à réfléchir sur leur propre changement. Ainsi voit-on se manifester l'intérêt d'une comparaison de parcours différents, celui ancien, pluriséculaire, de la Poste, celui, court, rapide, mais infiniment révélateur des impératifs et des conséquences de la novation aux Télécom ; ainsi voit-on l'intérêt pour une histoire sociale de l'entreprise de suivre le destin contrasté

1. Professeur au Collège de France.

de catégories professionnelles menacées et de voir les solutions possibles et réalisables dans une histoire proche et quasi immédiate appelées par de nécessaires reconversions. L'histoire traduit alors une volonté de reconquête culturelle pour mieux agir, intégrer les critiques, comparer les choix dans les temps. On peut souhaiter que les historiens venus de tous les horizons comprennent mieux la culture d'une entreprise qui est de notre patrimoine collectif.

Mais du côté des historiens, l'intérêt correspond moins à un besoin de nouveaux sujets pour de nouveaux chercheurs qu'à l'idée d'un dialogue profitable auquel tout nous convie : l'élargissement du recrutement universitaire, le problème des débouchés, la volonté de ne pas se couper des sciences sociales, et qui se joue sur trois dimensions. La première, en facilitant l'entrée au sein d'une culture et d'une tradition spécifique, permet de franchir la frontière entre le public et le privé dans de meilleures conditions. La deuxième, en ouvrant la discussion largement sur les problèmes de l'institution, en facilitant le recours aux archives de l'entreprise et en montrant leur rôle dans son fonctionnement comme stock de savoir et outil de son action, permet aussi de comparer valeur propre et choix de contraintes avec les exigences générales et les obligations sociales. Enfin, dans le dialogue, surgit une compréhension de nos déontologies réciproques et de ce qui en découle dans des pratiques différentes pour l'usage de l'histoire, qui ne doit pas être détourné de la fonction scientifique, pour la recherche de communes solutions dans le domaine de l'archivistique et de la conservation. Le problème met aujourd'hui en question non seulement ce qui relève de la tradition documentaire mais également de la culture technologique et matérielle la plus moderne puisque les objets techniques sont fondamentaux pour la lecture des programmes à l'avenir, ainsi des appareils et ordinateurs mobilisés par Minitel ou par les systèmes plus récents. Les choix ici s'avèrent complexes, mais sont peu différents des dilemmes anciens : que faut-il conserver et comment communiquer ?

L'ensemble des interventions de la journée d'étude dont est issu cet ouvrage, comme les travaux présentés au Comité, ont montré l'importance des sources exploitables, leur richesse à conquérir dans les séries centrales comme aux Archives nationales F90 et F7, comme la série C dans les archives départementales, comme dans les dépôts notariaux et privés, ainsi pour les maîtres de Poste et les compagnies qui se sont succédé dans le domaine postal. L'important est que nous puissions discuter des tensions qui pèsent sur l'accès aux archives privées du service public, surtout les plus récentes, et qu'une concertation s'établisse pour régler l'opposition entre liberté et contrôle, nécessités internes et externes qui pèsent sur les délais de consultation dans certains domaines sensibles – dossiers des personnels, documentation sur les techniques nouvelles, dossiers des concurrences. La discussion ouverte permet d'éclairer les raisons d'une politique d'archives de l'entreprise et de comprendre entre utilisation et conservation des options possibles différentes. Le Comité historique en offrant à des étudiants des bourses permet aussi de piloter la demande confrontée à l'offre, de préciser les sujets retenus et d'en souligner l'intérêt, de confronter le domaine postal avec les problématiques plus larges et ainsi d'éviter la loi des rendements décroissants par une vraie reconnaissance sélective fondée sur la qualité intellectuelle et l'intérêt général des travaux proposés, sur leur faisabilité par rapport à l'état des sources et de la documentation ouverte. On peut ainsi espérer voir progresser encore les travaux mais de la Poste à cheval à l'Internet le terrain à parcourir est vaste, les fonctions diverses du service postal englobant courrier, rôle financier, téléphone, réseaux, posant chacune ses propres problèmes et mettant en avant des acteurs dont le rôle historique a considérablement évolué dans des contextes sociaux économiques fort dissemblables. Toutefois de l'histoire traditionnelle des postes, érudite et philatéliste, à l'histoire ici développée, on entrevoit deux grandes directions d'intérêt : celle d'une histoire des moyens d'information, celle d'une histoire sociale d'un groupe professionnel et d'un milieu technique.

L'histoire des postes permet de réfléchir à la façon dont les sociétés, traditionnelles et modernes, ont résolu les problèmes de la communication et de la transmission des nouvelles au fur et à mesure de l'accroissement des besoins et de l'élargissement de l'espace dominé. Trois acteurs principaux sont dès le départ à l'œuvre : l'économie avec la figure du négociant, l'état avec celle du diplomate, de l'homme d'état et de l'administrateur, mais aussi l'Église avec ses pontifes, ses prélats, ses chefs d'ordre. Tous ont en commun une nécessaire et croissante boulimie d'information multiple, une indispensable nécessité de savoir pour prévoir et pourvoir, où s'affrontent la censure et la libre circulation. Aux origines, la régularité de la transmission des nouvelles appartient aux organismes ecclésiastiques, puis aux compagnies privées, voire municipales, et à quelques grands états, Rome étant peut-être jusqu'au XVIe siècle le centre postal le plus actif de l'Europe. L'essor des activités portées par l'avidité de renseignements utiles, la volonté de casser le secret de l'information dont le profit doit retomber plus largement sur tous, provoquent la création des systèmes d'informations publiques. *Avvizi*, journaux et gazettes diffusés par les postes étendent l'influence de l'esprit utilitaire et bientôt de l'esprit critique. Instruire, informer, calculer lient inséparablement le destin de l'essor de la culture intellectuelle et celui de l'histoire postale.

À l'âge de la machine dès le XIXe siècle, l'information livrée par les services des postes, privées ou publiques, participe d'une accélération générale des relations humaines, d'une extension des solidarités à l'échelle d'abord nationale puis internationale, d'un élargissement mondial de la circulation des hommes et des choses. Mesurer l'évolution des besoins d'information est ainsi au cœur de l'histoire postale. L'enquête française de 1847 si fréquemment utilisée pour évaluer le poids de la correspondance publique et privée dans la France pré-industrielle, l'histoire des implantations avec leur coût, l'aventure de la Malle des Indes et l'évocation de l'alliance des postes et du rail montrent l'action permanente du rôle de l'État, des pouvoirs centralisés, de l'expansion économique et coloniale à l'œuvre dans la mise en place des réseaux, le contrôle régulier des flux, l'appétence croissante pour la rapidité et la possible prévision apparue très tôt dans le domaine de la spéculation et du pari avec le télégraphe.

L'histoire des postes s'intègre alors dans un questionnement plus large qui vise à comprendre un changement capital des attitudes et des comportements humains dans le passage de la stabilité à la mobilité, le besoin de rapidité et de vitesse. Ch. Studeny dans *L'Invention de la vitesse* en a montré l'intérêt. En moins de deux siècles, une façon millénaire d'existence enracinée dans l'épaisseur de la lenteur et la condition terrienne a été bouleversée par l'accroissement de la rapidité du transport des hommes et des nouvelles, dans une aventure à laquelle le destin des postes est totalement associé. La maîtrise du temps et celle de l'espace basculent après 1850 et s'accélèrent jusqu'à nos jours, en même temps que le coût de la vitesse des déplacements et de la circulation de l'information décroît. Aujourd'hui la rapidité absolue en ce dernier domaine et son prix réduit au minimum ouvre des perspectives incroyables, et insoupçonnables il y a peu. La lutte de vitesse contre le temps est gagnée et cette victoire réduit les déphasages anciens qui existaient entre les groupes humains. Le meilleur et le pire peuvent coexister dans ce nouvel état des choses où l'on redécouvre avec la retransmission de l'information par l'image le besoin d'une critique rationnelle de la réalité reconstruite. Les techniques de la prise de décision qui enseignaient autrefois le savoir négociant ou l'expérience politique sont entraînées dans de nouvelles dynamiques. Au besoin intégré de la vitesse, la Poste répond par de nouvelles techniques dont l'accès libre doit être garanti et sauvegardé par tous. C'est dans cet impératif que la compréhension historique de l'histoire sociale des postiers replacée dans l'histoire de la société trouve tout son intérêt.

Un grand chapitre de l'aventure historique du travail tertiaire est ici ouvert car la Poste a, du Moyen Âge au monde actuel, multiplié les composantes culturelles de la socialisation. Maîtresse partielle de l'information, elle participait d'abord au monde de la rumeur et de la propagation des nouvelles par le bouche à oreille, maître de poste, cochers et postillons véhiculant l'imprécision et les bruits. G. Lefebvre y retrouvait l'un des mécanismes possibles de la *Grande Peur* dans l'été 1789. Mais en même temps la pratique postale modifie l'attente, elle crée de la régularité, le besoin d'information à des moments propices, le contrôle des nouvelles qui transparaît dans l'intervention de la censure ou le travail des cabinets noirs. L'exactitude est une condition de toutes les efficacités et l'administration postale a été une des maîtresses de la ponctualité de notre civilisation moderne ; par ses rythmes respectés, par l'égalité de l'accès à ses services, c'est aussi une institutrice d'abstraction. Cet effort est inséparable de la culture et de l'organisation d'un personnel. Des acteurs nombreux ont, à des époques différentes de son histoire, rempli ce rôle d'intermédiaire culturel. Le maître de poste, privilégié par monopole jusqu'au triomphe des chemins de fer, petit ou grand entrepreneur, homme de pouvoir et d'investissement, le postillon et tous les hommes de métier divers qui concouraient au service, le receveur, le facteur rural ou urbain, le personnel des tris stables ou ambulants. À chaque étape et pour chaque groupe, de la campagne à la ville, on voit se dessiner des pratiques et des exigences culturelles, un esprit de communauté ou de corps, une organisation des carrières et des statuts, la force des conflits et l'économie des restructurations. La sociologie historique des organisations et des associations trouve ici un terrain favorable à son développement.

Son intérêt provient aussi de l'articulation directe des pratiques avec l'évolution des systèmes techniques et les activités les plus ordinaires qui contribuent à façonner l'univers administratif. D'une part, la Poste apparaît directement associée dans son histoire avec l'essor et le développement d'innovations majeures de la modernité. Au XVIIIe siècle, elle est partie prenante de la combinaison qui rassemble pour une transformation profonde de l'espace et des manières de savoir, le travail des ingénieurs, les interventions des cartographes, l'ouvrage des constructeurs de routes et de ponts, les études des techniciens et des hommes de métier auteurs des véhicules, les projets et les réalisations des hommes de chevaux. Jusqu'en 1850, la distribution du courrier et la circulation de l'information dépendent de cet ensemble. Avec le chemin de fer, avec l'avion, avec les réseaux, ce sont d'autres métiers, d'autres groupes, d'autres technologies qui sont successivement mobilisés avec d'autres moyens, une maîtrise renforcée de l'espace, une libération encore plus efficace des contraintes matérielles et du temps.

D'autre part, à un autre niveau, la Poste, les postiers, les cadres, les employés sont engagés dans des procédures plus minuscules ou plus vastes qui concourent aussi à une transformation générale. Que l'on songe à l'action du crédit dont l'accès est multiplié par les organismes financiers postaux, que l'on songe au rôle social du bureau de poste avec ses implantations multipliées de la ville à la campagne entre le XIXe et le XXe siècle, au point que l'on peut encore aujourd'hui y voir un remède contre la désertification rurale, que l'on songe à l'usage quotidien des bureaux avec leur matériel, leur microtechnique, l'utilisation du papier, du registre, des appareils, on retrouve la Poste au carrefour des interventions qui ont été essentielles pour l'aménagement des territoires et la multiplication de l'échange.

Comprendre ces interactions telles qu'elles commencent à apparaître au travers des contributions rassemblées dans le présent ouvrage, c'est travailler à assurer la continuité d'une histoire économique et sociale enrichie de l'apport de l'histoire de la culture. C'est parier sur la possibilité d'une histoire intellectuelle des objets et des procédés, donc de la mise en pratique du dialogue loyal auquel aspirent un nombre encore trop limité d'entreprises, dans le domaine des sciences humaines et sociales.

Mise en pages
TyPAO sarl, 75011 Paris
tél. 01 49 29 40 72

Imprimerie SNEL, Liège, Belgique

Dépôt légal : novembre 2002

N° 26909